D1531572

ПАУЛО КОЭЛЬО

·

ВЕДЬМА С ПОРТОБЕЛЛО

ПАУЛО КОЭЛЬО

ВЕДЬМА
С ПОРТОБЕЛЛО

«СОФИЯ»

2007

УДК 821.134.3
ББК 84(70Бр)
К76

Перевод с португальского А. Богдановского

Коэльо Пауло

К76 Ведьма с Портобелло / Перев. с португ. —
М.: ООО Издательство «София», 2007. — 320 с.

ISBN 978-5-91250-289-7

Кто такая эта загадочная Афина, «ведьма с улицы Портабелло»?

Дочь цыганки и неизвестного англичанина, воспитанная в аристократической ливанской семье?

Путешественница-авантюристка с малолетним сыном на руках?

Наставница? Жрица «Великой Матери»? Или сама Великая Богиня?

В «Ведьме с Портобелло» вы найдете все то, что привлекает вас в книгах любимого автора — и увлекательнейший сюжет, и загадку, которая разрешится только в самом конце произведения; и женские архетипы, и четкие описания духовных практик и упражнений, и, разумеется, просто сформулированные, но удивительно точные и глубокие философские мысли.

Для кого эта книга? Для женщин, которые хотели бы лучше понять себя. А также для всех, кто хотел бы лучше понимать женщин.

ISBN 978-5-91250-289-7

*Посвящается S.F.X. который,
подобно солнцу, одаривал нас
при своем появлении светом и теплом;
примеру для тех, кто мыслит шире
своих горизонтов.*

*Пресвятая Дева, без греха зачавшая,
моли Бога о нас,
да не постыдимся в уповании на Тебя.*

*Никто, зажегши свечу,
не ставит ее в сокровенном месте,
ни под сосудом, но на подсвечнике,
чтобы входящие видели свет.*

Евангелие от Луки 11: 33

Прежде чем эти свидетельства, покинув мой письменный стол, последуют судьбе, которую я для них избрал, мне хотелось использовать их как основание для традиционной, тщательно проработанной биографии, где излагается абсолютно реальная история.

В надежде, что это мне поможет, я стал читать биографии разных людей, но в результате осознал: точка зрения биографа оказывает сильнейшее воздействие на результат его исследований. И поскольку я намеревался не донести до читателя собственное мнение, а показать историю «ведьмы с Портобелло» глазами действующих лиц, то в конце концов забросил первоначальную идею книги, сочтя, что лучше будет просто записать все, что рассказали мне очевидцы.

Хирон Райан,
44 года, журналист

Никто не зажигает свечу, чтобы таить ее за дверью, ибо свет затем и существует, чтобы светить, открывать людям глаза, показывать, какие вокруг чудеса.

Никто не приносит в жертву свое величайшее сокровище, имя которому — любовь.

Никто не вверяет свои мечты в руки тех, кто способен их уничтожить.

Только Афина.

Через много лет после того, как она умерла, прежняя ее наставница попросила меня съездить с нею вместе в шотландский город Престопанс. Там в соответствии с феодальным законом — месяц спустя его признают утратившим силу — была объявлена амнистия восьмидесяти одному человеку (а равно их котам и кошкам), казненным по обвинению в колдовстве с XVI по XVII век.

Официальный представитель баронов Престонгрейндж и Долфинстоун заявил, что «преступление большинства не было доказано, и суды выносили смертные приговоры, беря на веру показания свидетелей обвинения, уверявших, будто ощущают присутствие злых духов».

Не стоит, конечно, ворошить былое и поминать ужасы инквизиции с ее пыточными камерами и кострами, которые разожжены были ненавистью и местью. Но по дороге Эдда несколько раз повторила, что есть в помиловании нечто такое, чего она принять не в силах: городские власти и 14-й барон Престонгрейнджский и Долфинстоунский, изволите ли видеть, «простили» зверски убитых людей.

— На дворе — XXI век, а наследники и потомки настоящих преступников, на совести которых гибель ни в чем не повинных жертв, считают себя вправе «прощать» их. Ну да ты сам знаешь, Хирон.

Да уж, мне ли не знать... Набирает силу новая охота на ведьм, но на этот раз действовать предпочитают не раскаленным железом, а насмешкой и глумлением.

Каждый, кто, случайно открыв в себе дар, осмеливается упомянуть о нем, сталкивается с недоверием. А муж, жена, отец, сын этого человек, вместо того чтобы гордиться им, обычно запрещают ему говорить о своей таинственной способности, потому что боятся травли.

Раньше, до знакомства с Афиной, я полагал, что все это — не более чем бесчестный способ извлечь выгоду из отчаянья, столь присущего человеческому существу. Отправившись в Трансильванию снимать документальный фильм о вампирах, я намеревался показать, как легко обмануть людей, ибо суеверия, сколь бы нелепы ни были они, глубоко укоренились в душе человеческой и используются бессовестными манипуляторами. Когда я осматривал замок Дракулы, восстановленный лишь для того, чтобы туристам казалось, будто они находятся в некоем особом месте, мне устроили встречу с одним правительственным чиновником, который намекнул, что, если фильм покажут по Би-би-си, я получу, как он выразился, «значительный» подарок. В глазах этого клерка я способствовал распространению мифа, я подчеркивал его непреходящую ценность и, стало быть, вправе был рассчитывать на щедрую награду. По словам гида, количество туристов возрастает из года в год, и полезно любое упоминание об этих местах — пусть даже одни твердят, что замок — это декорация, а другие — что Влад Дракула был историческим персонажем, не имеющим ни малейшего отношения к мифу, а третьи — что все это вообще родилось в больном воображении некоего ирландца (*Брэма Стокера. — Прим. ред.*), никогда в жизни не бывавшего здесь.

И в этот самый миг я отчетливо понял, что, как бы строго ни отбирал я факты и ни ратовал за правду, все равно невольно буду способствовать упрочению лжи; и даже если цель моего фильма — лишить это место ореола легенды, люди по-прежнему будут упрямо верить тому, во что хотят верить. И прав этот гид: по сути, я делаю рекламу. И тогда я отказался от проекта, хотя уже успел вложить в него немалые деньги.

Однако поездка в Трансильванию, скажу без преувеличения, перевернула мою жизнь — там я встретил Афину, разыскивавшую мать. Судьба, столь же непредсказуемая, сколь и неумолимая, свела нас лицом к лицу в весьма непрезентабельном холле второразрядного отеля. Я присутствовал при ее первом разговоре с Дейдрой — или Эддой, как она любит себя называть. Я, словно бы со стороны, наблюдал, как мой разум вел с сердцем заранее обреченную на поражение борьбу ради того, чтобы не дать мне увлечься женщиной, которая не принадлежала к моему миру. Я рукоплескал, когда сердце выиграло эту схватку, после чего мне не осталось ничего иного, как сдаться и предаться охватившей меня страсти.

И благодаря этой страсти я увидел обряды и ритуалы, о которых до сей поры даже не подозревал, присутствовал при двух материализациях, самолично наблюдал, как впадают в транс. Считая, что любовь застит мне глаза, я сомневался в истинности происходящего, но вместо того, чтобы вогнать меня в столбняк, сковать и обездвижить, сомнения гнали меня к тем океанам, чье существование я прежде не мог даже допустить. Именно эта сила приходила мне на выручку в трудные минуты, помогала противостоять цинизму других журналистов и писать об Афине и ее работе. А теперь, хотя Афины уже нет, любовь все еще жива, и сила ее остается прежней. Но всей душой я мечтаю только об одном — забыть то, что увидел и чему научился. Ибо в том мире я мог плыть, лишь держась за руку Афины.

Это были ее сады, ее реки, ее горы. Теперь ее нет, и я остро нуждаюсь в том, чтобы все как можно скорей стало таким, как раньше; я всерьез займусь внешней политикой Великобритании, проблемами уличного движения, нерациональным использованием взимаемых с граждан налогов. Я хочу вновь увериться в том, что мир магии — не более чем умело придуманный и хорошо подготовленный трюк. Что люди склонны к суевериям. Что явления, которые не могут быть объяснены наукой, не имеют права на существование.

В ту пору, когда начались большие неприятности из-за ритуалов на Портобелло-роуд, мы часто спорили о том, как ей следует вести себя, но сейчас я рад, что она никогда не слушала меня. Когда теряешь дорогого тебе человека, утешением в этой трагедии способна послужить лишь зыбкая, но столь необходимая надежда на то, что, может быть, — все к лучшему.

И я засыпаю и просыпаюсь с этой уверенностью: хорошо, что Афина ушла прежде, чем спустилась в преисподнюю этого мира. С того времени как события стали выстраиваться в историю, которая могла бы называться «Ведьма с Портобелло», она бы уж никогда не сумела обрести душевный мир. И остаток своей жизни наблюдала бы за мучительным столкновением своих сокровенных мечтаний с нашей общей действительностью. Зная ее натуру, не сомневаюсь, что она боролась бы до конца, тратя свою веселую силу на попытки доказать то, во что никто, никогда, ни за что бы не поверил.

И не исключено, что она искала смерти, как потерпевший кораблекрушение ищет островок в океане. И, вероятно, подолгу стояла глухой ночной порой на станциях метро, ожидая нападения — а его так и не последовало. И бродила в самых опасных кварталах Лондона, подставляясь под нож убийцы — а он так и не появился. Она пыталась навлечь на себя ярость сильных — но тщетно.

Но однажды все же преуспела в своем намерении — и была зверски убита. Но, в конце концов, скольким из нас не довелось увидеть, как то, что составляет важнейшую часть нашей жизни, исчезает, улетучивается с каждой прожитой минутой? Я имею в виду не только нас, людей, но и наши идеи и мечты. Можно сопротивляться день, неделю, несколько лет, но в итоге мы все равно обречены на потерю. Плоть остается жива, а душа рано или поздно получит смертельный удар. Да, это идеальное преступление, ибо мы никогда не узнаем, кто убил радость нашего бытия, по каким мотивам, и где скрывается виновный.

А они, эти виновные, не открывающие своих имен, сознают ли они, что делают? Пожалуй, что нет, ибо и они тоже становятся жертвами ими же творимой действительности, и не важно, подавлены ли они или дерзки, бессильны или могущественны.

Они не понимают и никогда не поймут мир Афины. Да это ведь только так говорится — «мир Афины». Приходится признать, что она оказалась здесь *проездом*, словно по чьему-то одолжению, и так, будто жила в роскошном дворце, ела диковинные яства, но при этом сознавала: это всего лишь праздник, дворец — чужой, и не на ее деньги куплены эта изысканная снедь, и придет час — погаснут огни, хозяева лягут спать, слуги разойдутся по своим комнатам, двери закроются, а мы снова окажемся на улице, ожидая, когда такси или автобус вернет нас в наше убогое повседневье.

Я возвращаюсь. Верней сказать — какая-то часть меня возвращается в тот мир, где значение имеет лишь то, что мы видим, осязаем и можем объяснить. Я снова хочу получать штрафы за превышение скорости, стоять в очереди к окошку банка, хочу жаловаться на вечную нехватку времени, смотреть фильмы ужасов и гонки «Формулы-1». Вот она — вселенная, с которой суждено мне сосуществовать до конца дней моих: я женюсь, у меня будут дети, и прошлое отодвинется в дальнюю даль, станет полузабытым воспоминанием, чтобы в конце заставить меня спрашивать: как мог я быть таким слепцом, как мог я быть таким наивным?

А еще я знаю, что, когда придет ночь, другая часть моего существа отправится блуждать в пространстве, вступая в контакт с вещами не менее реальными, чем пачка сигарет или стакан джина передо мной. Моя душа будет танцевать с душой Афины, я пребуду с нею во сне, а проснувшись в холодном поту, пойду на кухню выпить воды и пойму: чтобы вступать в схватку с призраками, надо использовать вещи, которые не являются частью действительности. И тогда, последовав совету деда, я положу открытую бритву на прикроватный столик — будет чем перерезать продолжение сна.

На следующий день взгляну на бритву не без раскаянья. Но делать нечего: надо снова привыкать к этому миру, а иначе я потеряю рассудок.

Андреа Мак-Кейн,
32 года актриса

«*Никто никем не может* манипулировать. Оба сознают, что делают, даже если потом один из них будет жаловаться, что его использовали».

Так говорила Афина — но действовала противоположным образом, ибо без зазрения совести использовала меня и мною манипулировала, не обращая ни малейшего внимания на мои чувства. Дело становилось еще серьезней, когда мы заговаривали о магии — ведь Афина была моей наставницей, призванной передать священные тайны и пробудить к жизни неведомые силы, дремлющие в каждом из нас. А когда отплываешь в это море, слепо доверяешь своему вожатому, полагая, что он знает больше.

Так вот, смею вас уверить — не знает! Ни Афина, ни Эдда, ни люди, с которыми я познакомилась благодаря им. Она уверяла меня, что, когда учит других, учится сама, и, хотя поначалу я отказывалась этому верить, позднее мне пришлось убедиться, что так оно и есть и что это — один из многочисленных ее способов заставить нас ослабить бдительность и поддаться ее чарам.

Люди, ведущие духовный поиск, размышлениям не предаются — они хотят результатов. Хотят чувствовать свое могущество, хотят выделиться из безликого, безымянного множества. Хотят быть особенными. Афина чудовищно играла чувствами других людей.

Мне кажется, что в прошлом она питала безмерное восхищение к святой Терезе (*Святая Тереза младенца Иисуса (1873–1897). Монахиня-кармелитка из обители в Лизье. До пострижения — Тереза Мартен. Канонизирована в 1925 году. — Прим. перев.*). Католическая религия меня не интересует, но, сколько я знаю, кармелитка из Лизье получила нечто вроде мистического и физического причастия от Бога. Афина однажды заметила, что хотела бы, чтобы ее судьба была похожа на судьбу праведницы. Однако в этом случае ей следовало бы уйти в монастырь, посвятить свою жизнь созерцанию или помощи бедным. Что ж, так она принесла бы гораздо больше пользы миру и представляла бы куда меньше опасности для нас — для тех, кого музыкой и обрядами вводила в особое — подобное интоксикации — состояние, позволявшее встретиться с самым лучшим, но и с самым скверным из того, что таится в душе каждого из нас.

Я разыскала ее, желая найти смысл своей жизни, — хоть и скрыла это в нашу первую встречу. Мне следовало с самого начала понять, что Афину это не слишком занимало, — она хотела жить, танцевать, заниматься любовью, путешествовать, собирать вокруг себя людей, чтобы демонстрировать им свои дарования и мудрость. Хотела дразнить соседей, хотела наслаждаться всем, что есть в нас приземленно-мирского, причем так, чтобы на этот ее поиск всегда падал некий отблеск духовности.

Встречались ли мы для магических ритуалов или просто шли в бар, я постоянно чувствовала над собой ее власть, проявлявшуюся столь мощно, что ее, казалось, можно было ощутить физически. Сначала меня это завораживало и я хотела во всем быть похожей на Афину. Но однажды, когда мы с ней сидели в каком-то баре, она завела речь о «Третьем Ритуале», затрагивающем сексуальность. И сделала это при моем возлюбленном. Предлог был — обучить меня. А истинная цель — обольстить человека, которого я любила.

Ну и, разумеется, ей это в конце концов удалось.

Не стоит дурно говорить о людях, перешедших из этого мира в мир астральный. Афина не обязана была давать мне отчет — она отвечала только перед теми силами, которые направляла не на преумножение добра в человечестве и не на свое духовное совершенствование, но на извлечение выгоды для самой себя.

И хуже всего было то, что наши совместные начинания могли бы привести к успеху, если бы не ее неодолимое стремление выставлять себя напоказ — нечто вроде духовного эксгибиционизма. Если бы она всего лишь вела себя скромней и незаметней, сегодня мы вместе исполняли бы предназначение, к которому были призваны. Но нет — она не умела держать себя в узде, и считала себя хранительницей истины, и была убеждена, что одолеет все препоны, используя только свой дар обольщения.

Что же в итоге? В итоге я осталась одна. Но бросить на полпути начатую работу не могу — я должна идти до конца, хотя иногда остро ощущаю свою слабость и почти всегда нахожусь в унынии и упадке.

Меня не удивляет, что ее жизнь кончилась так, как она кончилась: Афина постоянно заигрывала с опасностью. Говорят, будто у интровертов жизнь складывается счастливее, нежели у экстравертов, которым приходится компенсировать это, показывая всем и самим себе, что всем довольны, что веселы и радостны и что жизнь им улыбается. Не знаю, как с другими, но в отношении Афины это наблюдение абсолютно верно.

Афина была уверена в своей харизме и причиняла страдания всем, кто ее любил.

В том числе и мне.

Дейдра О'Нил, 37 лет,

врач, известна также как Эдда

*Е*сли мужчина, которого мы, в сущности, едва знаем, позвонит нам, скажет несколько слов, не говоря ничего особенного, ни на что не намекая, но именно таким образом оказывая нам внимание, столь редко получаемое нами, то мы вполне способны влюбиться в него и в ту же ночь оказаться с ним в постели. Да, мы таковы, и ничего тут такого нет: в природе женщины — легко раскрываться навстречу любви.

Именно такая любовь в 19 лет открыла меня навстречу Матери. Афина была в том же возрасте, когда впервые вошла в транс. Но, кроме этого совпадения, ничего общего между нами не было.

Во всем остальном — и прежде всего в том, как обращались с другими людьми, — мы были абсолютной противоположностью друг другу. В качестве ее наставницы я из кожи вон лезла, чтобы организовать ее внутренние поиски и направить их в нужную сторону. В качестве ее подруги — не уверена, впрочем, что она питала ко мне те же чувства, — я силилась, как могла, объяснить ей, что мир еще не готов к тем изменениям, которые она желала вызвать. Помню, что не спала несколько ночей, пока не приняла решение: пусть она действует совершенно свободно, руководствуясь лишь велением сердца.

Главная ее, как принято ныне выражаться, проблема заключалась в том, что она была женщиной из XXII века, а жила в XXI — и позволяла всем увидеть это несоответствие. Она расплачивалась за это? Да, разумеется. Но цена была бы во стократ большей, сумей она обуздывать свой избыток энергии, вводить в берега половодье чувств. Она была бы отравлена душевной горечью, она терзалась бы от разочарования, она вечно думала бы о том, «что люди скажут», она твердила бы «дай мне сначала решить эти задачи, а уж потом я буду следовать своей мечте», она постоянно сетовала бы, что «нет подходящих условий».

Каждый ищет совершенного наставника, и случается, что божественную мудрость изрекают устами смертных людей — понять и принять это бывает очень трудно. Так же трудно, как провести грань между учителем и учением, между обрядом и экстазом, между символом как таковым — и тем, кто всего лишь несет его. Традиция связана с силами жизни, а не с людьми, передающими их. Мы — немощны и потому просим Мать послать нам проводников и вожатых, тогда как она дает нам всего лишь дорожные знаки, которым надлежит следовать.

И горе тем, кто ищет пастырей, а не алчет свободы! Встреча с высшей энергией доступна каждому, но всегда будет ускользать от тех, кто свою ответственность переносит на других. На этой земле наше время — священно, и нужно праздновать каждое его мгновение.

Мы напрочь позабыли, как это важно, — ведь даже религиозные праздники превратились всего лишь в повод отправиться на пляж, или в парк, или на лыжную прогулку. Нет больше ритуалов. Невозможно стало превращать обыденные действия в священные таинства. Мы готовим пищу, сетуя на трату времени, а могли бы претворять в еду любовь. Мы работаем, считая это божьим проклятием, а могли бы использовать наши дарования для того, чтобы доставлять себе удовольствие и распространять энергию Матери.

Сокровища, которые мы храним в глубине души, Афина умела выносить на поверхность, не понимая, что люди пока еще не готовы принять ее могущество.

Мы, женщины, когда ищем смысл жизни или дорогу познания, причисляем себя к одному из четырех классических архетипов.

Дева (я оставляю сексуальность за скобками) ищет себя в абсолютной независимости, и все, что она постигла, рождается лишь ее способностью в одиночку отвечать на брошенные ей вызовы.

Мученица познает самое себя, проходя через боль, через страдание и самоотречение.

В безграничной любви, в умении отдавать, ничего не прося взамен, обретает истинный смысл своего бытия *Святая*.

И наконец, *Ведьма* оправдывает свое существование поисками самого полного, ничем не скованного наслаждения.

Афина сочетала в себе все четыре типа — тогда как все мы принуждены избирать что-то одно.

Ну конечно, мы можем оправдать ее поведение тем, что каждый, входя в состояние транса или в экстаз, теряет контакт с действительностью. Но ведь это ложь: мир физический и мир духовный — одно и то же. В каждой пылинке мы умеем различать лик Бога, что не мешает нам убирать его с помощью влажной губки. Но Божественное не исчезает — оно лишь превращается в чистую поверхность.

Афине следовало быть поосторожней. Размышляя о жизни и смерти моей ученицы, я поняла, что должна немного изменить и свой собственный «образ действия».

Лейла Зейнаб,
64 года, нумеролог

*А*фина? Какое интересное имя! Погодите... сейчас гляну... Так, ее максимальное число — *девять*. Оптимистка, общительна, уживчива, способна выделиться в любой толпе. Люди сближаются с ней в поисках понимания, сочувствия, великодушия, и ей именно поэтому следует быть настороже, ибо эта популярность может ударить ей в голову, и в итоге потери окажутся значительней выигрыша. Еще ей надо держать язык за зубами, потому что она склонна говорить больше, чем велит здравый смысл.

Минимальное ее число — *одиннадцать*. Думаю, она претендует на лидерство. Ее интересует мистика — и через нее она пытается внести гармонию в отношения с теми, кто ее окружает.

Но это входит в конфликт с числом *девять*, складывающимся из дня, месяца и года ее рождения, сведенных к одной цифре. Она всегда будет склонна к зависти и печали; сосредоточенная на себе, она принимает решения под воздействием настроения. Надо соблюдать осторожность со следующими негативными проявлениями присущего ей характера — чрезмерным тщеславием, нетерпимостью, злоупотреблением своей властью, склонностью к известной экстравагантности.

И по причине этого противоречия я полагаю, что ей стоило бы избрать сферу деятельности, где можно будет избежать эмоционального контакта с людьми. Пусть попробует себя в информатике или в любой иной области, связанной с наукой или техникой.

Умерла, вы сказали? Простите. Но чем же все-таки она занималась?

***

Но чем же все-таки она занималась? Всем понемножку, и если бы надо было определить это кратко, то я бы сказал так: Афина была жрицей, которой ясны были силы природы. Можно и иначе сказать: поскольку ей нечего было терять и нечего ждать от жизни, она шла дальше других, она рисковала больше других, и в конце концов сама превратилась в те силы, которыми желала повелевать.

Она работала в супермаркете, служила в банке, потом еще где-то, но при этом неизменно оставалась жрицей. Я прожил с нею восемь лет, и за мной долг — надо восстановить память о ней и неповторимые особенности ее личности.

Трудней всего при сборе свидетельств было убедить людей, чтобы позволили мне пользоваться их подлинными именами. Одни говорили, что не желают быть замешанными в подобную историю, другие пытались скрыть свои мнения и чувства. Я объяснял, что истинное мое намерение — сделать так, чтобы все вовлеченные лучше поняли Афину, а в анонимные свидетельства никто не поверит.

Поскольку каждый из опрошенных полагал, будто обладает единственной и окончательной версией любого, пусть даже совсем незначительного эпизода, то в конце концов все согласились. Сопоставляя эти записи, я пришел к выводу, что абсолютной истины не существует и правдивость эпизода зависит от того, насколько проницателен рассказчик. И нет лучше способа постичь самого себя, чем попытаться узнать, как смотрят на тебя другие.

Это вовсе не значит, будто мы будем делать то, чего от нас ждут, но, по крайней мере, лучше поймем себя. Это мой долг перед Афиной. Я обязан по крупицам восстановить ее историю. Воссоздать ее миф.

Самира Р. Халиль,

57 лет, домохозяйка, мать Афины

Пожалуйста, не называйте ее Афиной! Ее имя — Шерин. Шерин Халиль, моя любимая дочь, мое желанное дитя, которое мы с мужем так желали бы произвести на свет!

Но жизнь распорядилась иначе — когда судьба одаривает слишком щедро, всегда найдется колодец, в котором потонут наши мечты.

Мы жили в Бейруте в ту пору, когда все считали его самым красивым городом на Ближнем Востоке. Мой муж был преуспевающим промышленником, мы поженились по любви, ежегодно проводили отпуск в Европе, у нас был обширный круг друзей, и нас приглашали на все мало-мальски значительные светские мероприятия, а однажды, представьте, мы принимали у себя самого президента Соединенных Штатов. Те три дня я никогда не забуду — в первые двое суток каждую пядь нашего дома обследовали агенты секретной службы (они к тому времени уже месяц как обосновались в нашем квартале: занимали стратегически выгодные позиции, снимали квартиры, вели наблюдение под видом нищих или влюбленных). А третий день — вернее, два часа — был праздником. Отчетливо помню зависть в глазах наших друзей и то, как я радовалась, что могу сфотографироваться с самым могущественным человеком планеты.

У нас было все, кроме детей, о которых мы так страстно мечтали. И, стало быть, не было ничего.

Мы испробовали все на свете: давали обеты, совершали паломничества в места, считавшиеся чудотворными, консультировались с врачами, ходили по знахарям, принимали патентованные лекарства и всякого рода целебные снадобья. Дважды мне делали искусственное осеменение. Оба раза случился выкидыш, а на второй мне пришлось еще и удалить левый яичник. После этого ни один врач не соглашался пойти на подобный риск.

И тогда кто-то из многочисленных друзей, знавших о нашей беде, предложил единственно возможный выход — усыновить ребенка. Еще сказал, что у него есть связи в Румынии, что позволит ускорить дело.

Месяц спустя мы полетели в Бухарест: наш друг вел какие-то важные переговоры с диктатором — я забыла, как его звали (*Николае Чаушеску. — Прим. ред.*), — который тогда правил страной, так что нам удалось избежать всякой бюрократической волокиты и беспрепятственно оказаться в трансильванском городе Сибиу, где и находился детский дом. Там нас ждали с кофе, сигаретами, минеральной водой и стопкой уже подписанных документов. Оставалось лишь выбрать ребенка.

И нас провели в очень холодную комнату, где стояли детские кроватки. Я пыталась понять, как матери могли оставить своих детей, и первым моим побуждением было взять их всех, всех до единого, увезти в нашу страну, где много солнца и свободы. Но я тут же поняла, что это — безумная идея. И мы стали бродить между колыбелями, слушая, как хором заливаются лежащие в них младенцы. Важность решения, которое мы должны были принять, внушала нам ужас.

За целый час мы с мужем не обменялись ни единым словом. Выходили в приемную, курили, пили кофе — и возвращались. Так повторялось несколько раз. Заметив, что сотрудница, занимавшаяся нами, проявляет признаки нетерпения, и поняв, что решать надо сейчас же, сию минуту, я повиновалась инстинкту, который осмелюсь назвать материнским, и, словно бы найдя свое дитя, в этом воплощении выношенное и рожденное другой женщиной, указала на колыбельку, где лежала девочка.

И та самая сотрудница, что явно начинала терять терпение, предложила нам подумать еще. Но я уже сделала выбор.

Смирившись, она осторожно, стараясь не задеть моих чувств (она знала, что у нас — высокие связи в румынском правительстве), шепнула на ухо так, чтобы не слышал мой муж:

— Добра не будет. Это — дочь цыганки.

Я ответила, что культура в генах не заложена и что трехмесячная девочка станет нашей с мужем дочерью и мы воспитаем ее в соответствии с нашими традициями и обычаями. Она будет ходить в ту церковь, куда ходим мы, загорать на пляжах, где любим бывать мы, свои первые книжки прочтет по-французски, а когда придет время — поступит в американскую школу в Бейруте. Я тогда ничего не знала о цыганской культуре, да и сейчас — тоже. Мне было известно лишь, что они кочуют с места на место, редко моются, обманывают людей и носят серьги. О них говорят, будто они воруют детей, но ведь здесь произошло как раз обратное: ребенок был брошен — как будто для того, чтобы о нем заботилась я.

Сотрудница еще пыталась разубедить меня, но я уже подписывала бумаги. Когда мы летели в Бейрут, мир, казалось, преобразился. Бог придал моему бытию смысл, и мне было теперь ради чего жить и бороться в этой юдоли слез. Все наши усилия получили теперь оправдание.

Шерин росла умницей и красавицей. Наверно, все родители так говорят о своих детях, но моя дочь и вправду была исключительна. Когда ей было уже лет пять, один из моих братьев сказал мне, что, если она когда-нибудь захочет уехать работать за границу, имя выдаст ее происхождение, а потому лучше назвать ее нейтрально — ну вот хоть Афиной. Тогда я не знала, что это не только название греческой столицы, но и имя богини мудрости. *И войны.*

Может быть, и мой брат знал это, а кроме того, прекрасно разбирался в том, какие проблемы может сулить в будущем арабское имя: он занимался политикой и хотел спасти свою племянницу от тех бед, которые черными тучами, пока заметными только ему одному, уже собирались на горизонте. Самое удивительное — Шерин понравилось звучание этого слова. В тот же день она стала называть себя «Афина» — и отговорить ее не удалось никому. Чтобы доставить ей удовольствие, мы согласились, уповая в душе, что увлечение ее скоро пройдет.

Способно ли имя воздействовать на жизнь того, кто носит его? Ибо время шло, имя прижилось, а мы привыкли к нему.

В двенадцать лет обнаружилось, что она очень религиозна: ежедневно ходила в церковь, наизусть знала Писание, и это было одновременно и благодатью, и проклятием. Я опасалась за судьбу своей дочери в мире, с каждым днем все сильнее раздираемом на части религиозной рознью. В этом возрасте Шерин уже не раз говорила нам — так, будто это само собой разумеется, — что у нее есть целый сонм невидимых друзей — ангелов и святых, чьи изображения мы видели в церкви. У всех детей бывают видения, о которых они по достижении определенного возраста перестают даже вспоминать. Они склонны одушевлять своих кукол или плюшевых мишек. Но когда однажды я пришла за Шерин в школу и услышала, что «ей предстала женщина в белом, похожая на Деву Марию», то решила, что уж это — чересчур.

Я, разумеется, верю в ангелов. Верю, что они разговаривают с маленькими детьми, но если это происходит с подростками, значит, что-то не так. Я знаю несколько случаев, когда пастушкам или крестьянам, уверявшим, что видели женщину в белом, это в конце концов сломало жизнь, ибо люди бросались к ним в неистовой жажде чуда, священники впадали в озабоченность, а в деревни стекались тысячи паломников. Бедняги оканчивали свои дни в монастыре. Ну так вот, все это меня очень встревожило: в таком возрасте девочкам полагается интересоваться тонкостями макияжа, красить ногти, смотреть душещипательные сериалы по телевидению. А тут что-то не то. И я обратилась к специалисту.

— Напрасно беспокоитесь, — сказал он.

Для врача-педиатра, занимающегося детской психологией, невидимые друзья были всего лишь проекцией снов, помогающей ребенку выявить свои желания, высказать чувства. Так что тревожиться не о чем.

— Да, но видение женщины в белых одеждах? — сказала я.

На это он ответил, что дело, быть может, в том, что наш с мужем взгляд на мир немного чужд Шерин, наши объяснения не вполне ее устраивают. И предложил постепенно готовить почву для того, чтобы со временем рассказать ей, что она — наша приемная дочь. По его мнению, самое скверное произойдет, если она сама обо всем догадается — в этом случае она потеряет веру во все и поведение ее может стать непредсказуемым.

С этого дня мы начали разговаривать с дочерью по-иному. Не знаю, остается ли в памяти человека то, что называется «первоначальные впечатления бытия», но мы с мужем, как могли, пытались показать Шерин, что мы ее любили и любим так сильно, что ей нет нужды искать убежища в воображаемом мире. Она должна была понять, что и видимый мир — прекрасен, а папа с мамой уберегут ее от любой опасности. Бейрут был красив, пляжи — залиты солнцем, заполнены людьми. Стараясь избегать открытого столкновения с «женщиной в белых одеждах», я теперь уделяла дочке больше времени — приглашала домой ее одноклассников и не упускала ни малейшей возможности проявить к ней нежность и ласку.

Это принесло свои плоды. Более того — мой муж часто уезжал по делам, и Шерин скучала по нему. Во имя любви я решила изменить стиль его жизни, и теперь мы больше времени проводили втроем.

Все шло хорошо до той ночи, когда она с плачем вбежала ко мне в спальню, твердя, что ей страшно и что она ощущает — ад совсем близко.

Муж в очередной раз был в отъезде, и я сперва подумала, что в такое отчаянье девочку привела разлука с ним. Но при чем тут близкое соседство ада? Неужели она услышала об этом в школе или в церкви? И я решила, что наутро отправлюсь к ее учительнице.

Шерин меж тем продолжала неутешно рыдать. Я подвела ее к окну, показала Средиземное море, освещенное полной луной, блещущие в небе звезды, людей, прогуливающихся по бульвару перед нашими окнами. Попыталась успокоить, но она, дрожа всем телом, плакала все так же горько. Провозившись с ней впустую полчаса, я стала терять терпение, прикрикнула на нее, велела прекратить, она, дескать, уже не ребенок. Потом я подумала, что это может быть связано с началом месячных, и спросила, не было ли крови.

— Много... много крови, — ответила она.

Я взяла вату, попросила ее лечь, чтобы можно было полечить ее «рану». Пустяки, думала я, завтра все ей объясню. Но менструации не было. Шерин еще поплакала немного, но вскоре устала и почти сразу же уснула.

А наутро пролилась кровь.

Четверо убитых. Я не придала этому особенного значения — очередной эпизод нескончаемой межплеменной розни, к которой мы, ливанцы, давно привыкли. А Шерин вообще не обратила на это внимания, потому что даже не вспомнила о своем ночном кошмаре.

Но с этой минуты ад стал придвигаться к нам вплотную, уже не отдаляясь никогда. В тот же день в отместку за гибель тех четверых был взорван автобус с двадцатью шестью палестинцами. Спустя сутки уже нельзя было ходить по улицам — повсюду гремела стрельба. Школы закрылись. Шерин привезла домой одна из ее учительниц. Мой муж прервал свою командировку и вернулся в Бейрут. Он обзванивал своих высокопоставленных друзей, однако никто не мог сказать ему что-либо вразумительное — никто уже не контролировал ситуацию. Шерин слышала доносящиеся снаружи выстрелы, слышала, как кричит по телефону мой муж, но — к несказанному моему удивлению — не произносила ни слова. Я говорила, что все это скоро кончится и мы сможем снова ходить на пляж, однако она отводила глаза и просила либо книжку, либо пластинку. Покуда ад все уверенней вступал в свои права, она читала или слушала музыку.

Мне тяжело, поймите. Я больше не хочу думать об этом. Не желаю знать, кто был тогда прав, кто — виноват, не желаю вспоминать об угрозах, которые мы слышали ежедневно. Скажу лишь, что спустя еще несколько месяцев для того, чтобы перейти улицу, надо было сесть на пароход, уплыть на Кипр, там пересесть на другой корабль и вернуться на другую сторону.

Почти год мы провели практически взаперти, ожидая, когда ситуация в стране изменится к лучшему, а правительство наведет порядок. Думали, это случится со дня на день. Но однажды утром, слушая пластинку на своем маленьком проигрывателе, Шерин сделала несколько танцевальных па и стала твердить: «Все это — надолго... очень надолго».

Я хотела было остановить ее, но муж схватил меня за руку — было видно, что он внимательно прислушивается к ее словам и принимает их всерьез. Я так и не поняла почему, и мы даже теперь не обсуждаем эту тему: она — под запретом.

На следующий день муж неожиданно начал готовиться к отъезду из страны, и через две недели мы были уже в Лондоне. Позднее мы узнали, что, хотя точные статистические данные отсутствуют, за два года гражданской войны (*1974 и 1975 гг. — Прим. ред.*) погибло около 44 тысяч человек, 180 тысяч были ранены, а еще десятки тысяч остались без крыши над головой. Бои продолжались, потом страну заняли иностранные войска, и ад продолжается по сей день.

«Все это — надолго... очень надолго», — сказала тогда Шерин и, к несчастью, оказалась права.

Лукас Йессен-Петерсен,
32 года, инженер, бывший муж

*К*о времени нашей первой
встречи Афина уже знала, что ее удочерили. Ей было
19 лет, и однажды она чуть не затеяла драку в университет-
ском кафетерии из-за того, что кто-то, решив, будто она —
англичанка (у нее были гладкие волосы, светлая кожа, а
глаза меняли цвет с зеленоватого на серый), позволил себе
пренебрежительно отозваться о Ближнем Востоке.

Шел первый день семестра, и мы еще ничего не знали о
своих однокашниках. И вот одна девушка вдруг вскакива-
ет, хватает другую за ворот у самого горла и бешено кричит ей в лицо:

— Расистка!

Я увидел затравленный взгляд девушки, недоумева-
ющие взгляды прочих студентов, не понимающих, что
происходит. Я учился на курс старше, а потому мог отчетливо представить себе последствия — вызов в кабинет ректора, разбирательство, возможное исключение

из университета, полицейское расследование и прочее. В проигрыше окажутся все.

— Заткнись! — крикнул я, не успев подумать, что делаю.

Ни с одной из девиц я знаком не был. И вообще не отношу себя ни к миротворцам, ни к спасителям человечества, не говоря уж о том, что ссора между молодыми людьми — обычное дело. Но говорю же — мой крик был спонтанной реакцией.

— Прекрати! — добавил я, обращаясь к зачинщице скандала.

Она была красива, как, впрочем, и та, что стала ее жертвой. Она обернулась, глаза ее вспыхнули. И вдруг все мгновенно изменилось. Она улыбнулась — правда, так и не отпустив вторую девушку.

— Ты забыл волшебное слово.

Все засмеялись.

— Прекрати, — произнес я. — Пожалуйста.

Она разжала пальцы и двинулась ко мне. Все провожали ее глазами.

— С учтивостью у тебя все хорошо. А как с сигаретами?

Я протянул ей пачку, и мы вышли во двор. Ярость ее как рукой сняло, и уже через несколько минут она смеялась, обсуждала со мной капризы погоды, спрашивала, какая поп-группа мне нравится. Я услышал звонок на занятия, но пренебрег тем, чему учился всю жизнь, — умением соблюдать дисциплину. Мы продолжали болтать так, словно ничего больше не было и в помине — ни университета, ни недавней стычки в кафетерии, ни ветра, ни солнца — ничего, кроме этой сероглазой девушки, которая говорила о вещах совершенно неинтересных и бесполезных, но способных приковать меня к ней до конца жизни.

Через два часа мы обедали вместе. Семь часов спустя — сидели в баре, ужинали и пили то, что могли себе позволить. Наши разговоры становились все более глубокими, и вскоре я уже знал едва ли не всю ее жизнь, причем ни о чем не расспрашивал: Афина сама рассказывала о своем детстве и отрочестве. Позже мне стало ясно, что так она ведет себя всегда и со всеми, но в тот день я чувствовал, что меня предпочли и выделили из всех мужчин, сколько ни есть их на свете.

В Лондоне она оказалась в качестве беженки из объятого гражданской войной Ливана. Ее отец, христианин-маронит (*марониты — приверженцы одной из ветвей католицизма. Догматика близка к католической, однако священники не соблюдают целибат. Богослужения проводятся на среднеассирийском языке. — Прим. ред.*), был тесно связан с правительственными кругами, но даже под весьма реальной угрозой смерти не хотел эмигрировать до тех пор, пока Афина, случайно подслушав его телефонный разговор, не решила — пришло время стать взрослой, выполнить свой дочерний долг и защитить тех, кого она любит.

Она исполнила нечто вроде танца, притворилась, что впала в транс (этим искусством она овладела в колледже, изучая жития святых), и начала пророчествовать. Не знаю, как удалось девчонке-подростку сделать так, чтобы взрослые приняли решения, основанные на ее словах, но Афина выполнила свою задачу — отец был суеверен и непреложно убежден, что спасает жизнь своей семьи.

Да, в Лондоне они оказались как беженцы, но отнюдь не как нищие. Ливанская диаспора рассеяна по всему миру, так что отец Афины вскоре нашел средства поправить свои дела, и жизнь наладилась. Афина могла посещать лучшие школы, учиться танцам (это была ее истинная страсть), а потом поступить на архитектурный факультет.

И там, в Лондоне, родители однажды повели ее ужинать в самый дорогой ресторан и как можно осторожнее объяснили, что она — не родная их дочь. Афина разыграла удивление, потом расцеловала их и ответила, что ничего не изменится.

Однако для нее это уже не было новостью — какое-то время назад друг семьи в приливе ненависти уже крикнул ей: «Ты — неблагодарный приемыш! Ты им — не родная! И оттого, наверно, не умеешь себя вести!» Она швырнула в него пепельницей, поранив ему лицо, двое суток проплакала, запершись в своей комнате, а потом приняла это обстоятельство как данность. У друга семьи на всю жизнь остался шрам, происхождение которого он объяснить не мог, так что приходилось врать, будто на улице на него напали грабители.

Когда я назначил ей свидание, она прямо и просто заявила мне, что девственна, по воскресеньям ходит в церковь, любовных романов не читает, предпочитая им разнообразную литературу о ситуации на Ближнем Востоке.

И, стало быть, занята. Чрезвычайно занята.

— Принято считать, будто единственная мечта женщины — выйти замуж и нарожать детей. А ты, выслушав мою историю, наверное, думаешь, что я очень несчастна.

А эту песню я знаю — многие мужчины уже заводили речь о том, что хотели бы меня «защитить». Только они забывают, что еще со времен античности повелось так, что воины возвращались из походов либо на щите — мертвыми, — либо со щитом и боевыми шрамами. Ну так вот: я нахожусь на поле брани с момента рождения, все еще жива и ни в ком не нуждаюсь для защиты.

Помолчав, она добавила:

— Видишь, какая я образованная?

— Вижу. Но вижу также и то, что, когда ты нападаешь на того, кто слабее тебя, ты и впрямь нуждаешься в защите. Этот случай мог стоить тебе университетского диплома.

— Знаешь, ты прав. Я принимаю твое приглашение.

С этого дня мы начали регулярно встречаться, и чем ближе становились, тем отчетливей ощущал я свой собственный свет — ибо Афина раскрывала во мне все самое лучшее. Она терпеть не могла книг по магии или эзотерике, говоря, что все это — от лукавого, а единственное спасение — в Иисусе. Но порою высказывала мысли, которые не вполне вписывались в католические догматы:

— Христа окружали нищие, проститутки, мытари, рыбаки. Думаю, что этим он хотел внушить людям — искра Божья есть в душе у каждого и задуть ее нельзя. Когда я успокаиваюсь или, наоборот, чем-то безмерно взбудоражена, то чувствую, как вся Вселенная резонирует мне в такт и вместе со мной. И тогда мне открывается непознанное — и словно бы сам Господь направляет мои шаги. В такие минуты все становится явным и внятным.

Афина всегда жила в двух параллельных мирах: один она считала истинным, другой был внушен ей через посредство ее веры.

Проучившись почти целый семестр, она заявила вдруг, что хочет бросить университет.

— Но ты раньше даже не говорила об этом!

— Я и сама с собой не решалась обсуждать эту тему. Но, знаешь, сегодня я была у своей парикмахерши: она работала день и ночь ради того, чтобы ее дочь могла получить диплом социолога. А окончив университет, та никуда не могла устроиться по специальности, пока ее не взяли секретаршей в какую-то фирму, производящую цемент. И все равно парикмахерша твердит с гордостью: «У моей дочери — высшее образование!» Почти у всех друзей моих родителей и у детей друзей моих родителей есть дипломы. Но это вовсе не значит, что им удалось найти работу по душе — наоборот: они поступают в университеты и оканчивают их лишь потому, что кто-то, пребывая в плену прежних, давних представлений о том, как важно иметь высшее образование, сказал им: «Чтобы преуспеть в жизни, надо иметь высшее образование». Круг замкнулся, а мир лишился прекрасных садовников, пекарей, каменщиков, писателей, антикваров.

Я попросил ее не рубить сплеча, подумать еще немного. В ответ она прочла мне строки Роберта Фроста (*Роберт Фрост (1874–1963), американский поэт, четырежды лауреат Пулитцеровской премии. Стихотворение «Другая дорога» приводится в переводе В. Топорова*):

И если станет жить невмоготу,
Я вспомню давний выбор поневоле:
Развилка двух дорог — я выбрал ту,
Где путников обходишь за версту.
Все остальное не играет роли.

На следующий день она не пришла на занятия. При нашей следующей встрече я спросил, чем она намерена заниматься.

— Замуж выйду. Рожу ребеночка.

Я слегка растерялся. Мне было двадцать лет, Афине — девятнадцать, и я думал, что еще рано принимать подобные решения.

Однако Афина говорила совершенно серьезно. И я оказался перед выбором: потерять либо то единственное, что занимало все мои мысли и чувства, либо — свою свободу и все, что обещало мне будущее.

И, откровенно говоря, сделать этот выбор труда не составило.

Падре Джанкарло Фонтана,

72 года

Я, конечно, очень удивился, когда эти молодые — слишком молодые люди — пришли в церковь и заявили, что хотят обвенчаться. В тот же день я узнал, что семья Лукаса Йессена-Петерсена, происходящая из мелкопоместного дворянства, категорически возражает против этого союза. И не только против самого брака, но и против венчания.

Его отец, основываясь на неоспоримых исторических аргументах, считает, что Библия — на самом деле не одна книга, а свод 66 различных рукописей, ни личность, ни имя авторов которых совершенно неизвестны; что первая часть ее написана на тысячу лет раньше последней, то есть вдвое больше, чем прошло со дня открытия Америки; что ни одно живое существо на планете — от мартышки до канарейки — не нуждается в десяти заповедях, чтобы знать, как себя вести. Надо лишь следовать законам природы — и тогда мир пребудет в гармонии.

The Saint

Разумеется, я читал Библию. Разумеется, я кое-что знаю о ее истории. Но люди, которые ее написали, были всего лишь орудиями Божьей Воли, а Иисус создал нечто еще более прочное, чем десять заповедей, — любовь. Мартышки, птицы и всякая прочая живая тварь повинуются лишь своим инстинктам и следуют заложенной в них программе. С людьми дело обстоит посложнее, ибо люди познали любовь вместе со всеми ее капканами и ловушками.

Ну вот, я опять читаю проповедь, хотя взялся рассказать вам о своей встрече с Афиной и Лукасом. Покуда я разговаривал с юношей (а мы с ним, кстати, принадлежим к разным вероисповеданиям и, следовательно, я не обязан хранить тайну исповеди), мне стало известно, что его домашние не только проявляют самый оголтелый антиклерикализм, но и отчаянно противятся его браку с иностранкой. Тут мне захотелось привести им то место из Священного Писания, где не излагаются никакие религиозные доктрины, а звучит всего лишь призыв к здравому смыслу:

«Не гнушайся Идумеянином, ибо он брат твой; не гнушайся Египтянином, ибо ты был пришельцем в земле его».

Простите, я снова цитирую Библию. Обещаю, что впредь буду следить за собой. После разговора с Лукасом я еще не менее двух часов провел с Шерин — или, как она предпочитает, чтобы ее называли, — с Афиной.

Эта девушка всегда меня интересовала. Как только она стала посещать церковь, мне показалось, что у нее буквально на лбу написано желание сделаться святой. Она мне рассказала то, о чем не знал ее возлюбленный:

незадолго до начала гражданской войны в Ливане она, подобно святой Терезе из Лизье, тоже видела кровь на улицах. Конечно, это можно списать на трудности переходного возраста, но подобное состояние бывает с каждым из нас — весь вопрос в масштабах. Внезапно, на какую-то долю секунды, мы чувствуем, что наша жизнь оправдана, наши грехи — искуплены и прощены, любовь — сильнее всего и способна полностью преобразить нас.

Но именно в такие моменты нами овладевает страх. Безраздельно предаться любви — не важно, Божественной или земной — значит отречься от всего, включая наше собственное благополучие и нашу способность принимать решения. Это значит — любить в самом полном смысле слова. А мы, по правде говоря, не хотим спастись тем путем, который выбрал себе Господь ради искупления наших грехов. Нет, мы хотели бы держать под абсолютным контролем каждый шаг, отдавать себе отчет в каждом принимаемом решении и иметь возможность самим избирать объект поклонения.

С любовью такое не проходит — она является, вселяется, устраивается по-хозяйски и начинает диктовать свою волю. Только по-настоящему сильные духом позволяют себе увлечься безоглядно. И к числу их принадлежала Афина.

Целые часы она проводила, глубоко погрузившись в созерцание. У нее были явные способности к музыке, говорили, что она прекрасно танцует, но поскольку церковь — неподходящее место для этого, она каждое утро, перед тем как идти в университет, приносила свою гитару и пела Пречистой Деве.

Помню, как впервые услышал ее. Я тогда уже отслужил утреннюю мессу для немногих прихожан, расположенных просыпаться зимой спозаранку, как вдруг вспомнил, что забыл забрать деньги из кружки для пожертвований. Вернулся — и услышал музыку, заставившую меня увидеть все в ином свете, будто по мановению руки ангела. В одном из приделов храма я увидел девушку лет двадцати: не сводя глаз с образа Богоматери Непорочно Зачавшей, она пела гимны, аккомпанируя себе на гитаре.

Она заметила меня и замолчала, но я кивнул, безмолвно прося ее продолжать. Потом сел на скамью, закрыл глаза и заслушался.

В этот миг ощущение небесного блаженства осенило меня. Словно догадавшись о том, что происходит в моей душе, она стала чередовать гимны с молчанием. В эти мгновения я шептал молитву. Затем музыка возобновлялась.

Я отчетливо сознавал, что переживаю нечто незабываемое — из разряда тех магических впечатлений, суть которых становится нам ясна лишь после того, как они уходят. Я сидел там, внезапно лишившись прошлого, позабыв о будущем, растворившись в этом утре, в этой музыке, в нежданной, неурочной молитве. Я чувствовал восторг, что был сродни экстазу, и неимоверную благодарность за то, что оказался в этом мире и, одолев сопротивление семьи, последовал в свое время зову души. В простом убранстве маленькой часовни, в девичьем голосе, в утреннем свете, заливавшем нас, я находил очередное доказательство тому, что величие Господа проявляется в обыденном.

Уже пролиты были потоки слез, и казалось, что прошла целая вечность, когда девушка замолкла. И лишь тогда я узнал в ней одну из прихожанок. С того дня мы стали друзьями и, как только представлялся случай, устраивали это поклонение Пречистой Деве молитвой и музыкой.

Но помню, что сильно удивился, услышав о ее намерении выйти замуж. Мы были уже достаточно близки, чтобы я мог осведомиться, как, по ее мнению, воспримет этот брак семья мужа.

— Плохо воспримет. Очень плохо.

Осторожно подбирая слова, я спросил, не побуждают ли ее к замужеству какие-нибудь обстоятельства.

— То есть, не беременна ли я? Нет. Я — девственна.

Тогда я спросил, сообщила ли она о своем намерении своим родителям, и услышал: «Да. И реакция была самая неожиданная, мать плакала, отец впал в ярость».

— Приходя сюда славить Приснодеву своей музыкой, я не думаю о том, что скажут другие. Я всего лишь делюсь с нею своими чувствами. И так было всегда: с тех пор как я себя помню — я чувствую себя сосудом, наполненным Божественной Энергией. Теперь она просит меня родить ребенка, чтобы я могла дать ему то, чего не получила от женщины, произведшей меня на свет, — защиту и безопасность.

— На этом свете никто не может чувствовать себя в безопасности, — отвечал я. — У тебя впереди еще долгая жизнь, и хватит времени для того, чтобы проявилось чудо творения.

Но Афина уже решилась:

— Святая Тереза не противилась настигшей ее болезни — наоборот: она увидела в ней знак Славы. Святая

Тереза была намного моложе меня, когда решила уйти в монастырь. Ей было всего пятнадцать. Ей отказали в пострижении, но она не смирилась и решила добиться встречи с самим Папой. Можете себе представить, каких усилий это стоило?! Получить аудиенцию у Папы Римского! Тем не менее она достигла своей цели. И та же Слава просит меня о чем-то гораздо более простом и благородном, нежели болезнь. О том, чтобы я стала матерью. Если ждать и откладывать, я не смогу стать своему ребенку другом и единомышленником, ибо слишком велика будет разница в возрасте.

— Ты не одна такая, — возразил я.

Но Афина продолжала, словно не слыша:

— Я испытываю счастье лишь в те минуты, когда думаю, что Господь существует и слышит меня. Этого недостаточно, чтобы продолжать жить, и все кажется мне бессмысленным. Я притворяюсь веселой и счастливой, я скрываю печаль, чтобы не огорчать тех, кто так любит меня и так волнуется из-за меня. Но недавно я всерьез подумывала о самоубийстве. По ночам, перед тем как заснуть, я подолгу разговариваю сама с собой, пытаюсь прогнать эту мысль, потому что уход из жизни будет вопиющей неблагодарностью по отношению ко всем: это — бегство. По утрам я прихожу сюда и говорю с Девой, прошу, чтобы избавила меня от демонов, с которыми борюсь ночью. Пока это помогало, но я чувствую, что начинаю слабеть. Я знаю: у меня есть предназначение. Прежде я отказывалась от него, а ныне обязана принять. Это предназначение — стать матерью. Либо я исполню его, либо сойду с ума. Если не смогу увидеть, как растет во мне новая жизнь, — не смогу и принять ту жизнь, что происходит вовне.

Лукас Йессен-Петерсен,
бывший муж

*К*огда родился Виорель, мне исполнилось 22 года. Теперь я уже был не студент, только что женившийся на своей бывшей однокашнице, а взрослый человек, несущий на своих плечах тяжкое бремя ответственности за семью. Мои родители, даже не появившиеся на церемонии бракосочетания, предложили, если я разведусь, высылать определенную сумму на содержание и воспитание ребенка (переговоры об этом вел отец, а мать только рыдала в трубку, то твердя, что я сошел с ума, то повторяя, что ей так хочется взять на руки внука). Я надеялся, что, когда со временем они поймут мою любовь к Афине и мое решение делить с нею жизнь, это сопротивление ослабеет.

Ничего подобного. И теперь мне было необходимо кормить семью. Я бросил университет, хотя до защиты диплома оставалось недолго. И вскоре состоялся телефонный разговор с отцом, который грозил лишить меня наследства, но в том случае, если одумаюсь, обещал мне, как он выразился, «временную финансовую помощь». Юношеский романтизм требует от нас радикальных поступков, и я отказался, заявив, что справлюсь со своими проблемами сам.

До рождения сына Афина старалась помочь мне лучше понимать себя самого. И происходило это не благодаря сексу — очень робкому, надо признаться, — но через посредство музыки.

Музыка — сверстница рода человеческого, объясняли мне потом. Наши далекие предки передвигались с места на место налегке, но, как установила современная археология, кроме самого необходимого скарба обязательно брали с собой и музыкальный инструмент — чаще всего барабан. Музыка ведь не только умиротворяет, или развлекает, или услаждает наш слух — нет, это еще и идеология. Скажи мне, какую музыку ты слушаешь, и я скажу тебе, кто ты.

Наблюдая за тем, как танцевала Афина во время своей беременности, слушая, как она играет на гитаре, чтобы ребенок, которого она носит, был спокоен и знал, что его любят, я начал понимать, что ее мировоззрение сильно влияет и на мою жизнь. Когда новорожденного Виореля принесли домой, мы прежде всего дали ему послушать адажио Альбинони. Когда у нас случались ссоры, именно сила музыки — хоть я так никогда и не смог установить никакой логической связи между тем и другим — выводила нас из трудных положений.

Впрочем, вся эта романтика денег заработать не помогала. Я ни на чем играть не умел и не смог бы даже устроиться в какой-нибудь бар развлекать клиентов, а потому в конце концов нашел себе место расчетчика в одной строительной фирме. Оплата была сдельная — и более чем скромная, — а потому я уходил рано, а возвращался поздно. Сына почти не видел — он спал — и почти не мог разговаривать с Афиной или заниматься с ней любовью, потому что она была слишком утомлена. Я без конца задавал себе один и тот же вопрос: когда же мы сумеем поправить наши финансовые дела и обретем достоинство, которого заслуживаем? Хотя я соглашался с Афиной, когда она говорила, что в большинстве случаев диплом — вещь бесполезная, однако в инженерном деле, например (как в юриспруденции и медицине), самое главное — сумма технических познаний, без которых мы будем рисковать жизнью других людей. А мне пришлось прервать обучение делу, которое я сам для себя выбрал, и отказаться от мечты, которая была очень важна для меня.

Начались ссоры. Афина жаловалась, что я уделяю мало внимания ребенку, что тот нуждается в отце, что, в конце концов, могла бы обойтись и без меня, чтоб не создавать мне столько проблем. Не раз уже я хлопал дверью и уходил из дому, крикнув напоследок, что она меня не понимает и что я не понимаю, как согласился на это «безумие» — обзавестись в двадцать лет семьей, не успев стать на ноги. Секс постепенно тоже сошел на нет — от усталости ли или от того, что мы постоянно раздражали друг друга.

Я пребывал в подавленном состоянии, считая, что женщина, которую я люблю, использует меня в своих целях. Афина замечала мою депрессию, но вместо того, чтобы помочь мне, сосредоточила всю свою энергию на сыне и на занятиях музыкой. Время от времени я разговаривал с родителями и неизменно слышал, что «она завела ребенка, чтобы удерживать тебя».

С другой стороны, очень усилилась ее религиозность. Она потребовала, чтобы новорожденного окрестили по всем правилам, и выбрала ему имя Виорель — румынского, кажется, происхождения. Я думаю, если не считать нескольких эмигрантов, это был единственный Виорель на всю Англию, но мне это имя нравилось, и я осознавал, что Афина устанавливает какую-то странную связь с прошлым, которое толком и прожить-то не успела, — с сиротским приютом в Сибиу.

Я пытался приспособиться ко всему, но чувствовал, что теряю Афину из-за ребенка. Ссоры происходили все чаще, Афина стала грозить, что уйдет из дому, потому что Виорель «нахватывается» отрицательной энергии из-за нездоровой обстановки. И однажды вечером, после очередной такой угрозы из дому ушел я, думая, впрочем, что немного остыну и вернусь.

Я бесцельно бродил по Лондону, проклиная свой выбор, и сына, и жену, которой, как мне казалось, нет до меня никакого дела. Вошел в первый попавшийся бар рядом со станцией метро, выпил четыре порции виски. Когда же в 11 вечера бар закрылся, в магазине, торгующем до поздней ночи, купил еще бутылку, уселся на площади и продолжал пить. Подошли какие-то юнцы, попросили «угостить», я отказал, и меня избили. Тут же появилась полиция, и нас всех отправили в участок.

Освободили меня лишь после того, как я внес залог. Я, разумеется, сказал, что у меня ни к кому нет претензий, что ссора возникла на пустом месте, — иначе мне в течение нескольких месяцев пришлось бы ходить в суд как жертве нападения. Стоит добавить, что я был пьян до такой степени, что, выходя, упал на стол одного из инспекторов. Тот сильно разозлился, но вместо того, чтобы арестовать меня, просто вытолкал вон.

На улице меня поджидал один из тех юнцов. Он поблагодарил меня за то, что я не настаивал на возбуждении дела. Я был весь перемазан грязью и кровью, и он предложил мне где-нибудь переодеться, а в таком виде домой не ходить. Мне бы пойти своей дорогой, а я попросил его об одолжении — выслушать меня, ибо я должен выговориться.

И целый час он молча слушал мои излияния. На самом деле я говорил не с ним, а с самим собой — с молодым человеком, перед которым открывалось блестящее будущее и вся жизнь была впереди, семья которого обладала нужными связями, способными открыть любые двери. А теперь он казался одним из бродяг из Хемпстеда (*один из кварталов Лондона. — Прим. ред.*) — пьяный, грязный, безмерно утомленный, близкий к отчаянью и без гроша в кармане.

Досказывая свою историю, я уже отчетливо понимал, в каком положении очутился и что сделал со своей жизнью, поверив, будто любовь способна спасти все. Это не так: любовь порой толкает нас в пропасть, но это еще полбеды — хуже, что с собою мы увлекаем к гибели близких и любимых. В данном случае я готов был погубить не только себя, но и Афину с Виорелем.

В этот миг я повторил себе: «Я — мужчина, а не юнец, родившийся в золотой колыбельке, я — мужчина и должен достойно ответить на вызов судьбы». И двинулся домой. Афина уже спала, взяв к себе в постель Виореля. Я принял душ, выбросил грязную одежду в мусорный бак, вернулся и лег, удивительным образом протрезвев.

А наутро сказал жене, что хочу развестись с ней. «Почему?» — спросила она.

— Потому что люблю тебя. И нашего ребенка. А я только и делаю, что проклинаю вас обоих за то, что не дали исполниться моей мечте стать архитектором. Если бы мы немного подождали, все пошло бы иначе, но ты думала только о своих планах, позабыв включить в них меня.

Афина никак не отозвалась на это. Она словно бы ждала от меня такого или бессознательно подталкивала меня к подобному шагу.

Я ждал, что она попросит меня не уходить. Но она сохраняла безразличную и кроткую покорность судьбе, а озабочена была лишь тем, чтобы звук наших голосов не разбудил ребенка. Тут я окончательно убедился, что Афина никогда меня не любила: я был для нее способом исполнить ее безумное намерение — в восемнадцать лет родить ребенка.

Я предложил ей остаться в этой квартире, однако она ответила отказом: переедет к матери, поживет какое-то время у нее, найдет себе работу и снимет собственное жилье. Спросила, смогу ли я давать какие-то деньги для Виореля. Я тотчас пообещал.

Потом поднялся, в последний раз приник к ее губам долгим поцелуем, настойчиво повторил свое предложение остаться в этой квартире и услышал в ответ, что Афина уедет к матери, как только соберет свои вещи.

Я переехал в дешевый отель и каждый вечер ждал, что она позвонит и попросит вернуться, чтобы начать новую жизнь... Я был готов продолжать и старую, ибо наш разрыв ясно дал мне понять, что на всем белом свете нет для меня никого дороже, чем моя жена и мой сын.

Через неделю она позвонила — но лишь для того, чтобы сказать, что перевезла вещи и возвращаться не собирается. Еще две недели спустя я узнал, что она сняла маленькую мансарду на Бассет-роуд, то есть каждый день с ребенком на руках взбирается и спускается по крутым ступеням. По истечении двух месяцев мы наконец подписали все бумаги.

Так я навсегда расстался со своей истинной семьей. А семья, в которой я родился, приняла меня с распростертыми объятиями.

После того как мы расстались, я, испытывая настоящие душевные муки, постоянно спрашивал себя: неужто и впрямь я сделал неверный, опрометчивый шаг, повторив ошибку, свойственную людям, в отрочестве читавшим слишком много романов про любовь и во что бы то ни стало желавшим повторить историю Ромео и Джульетты? Когда боль утихла — а такие раны исцеляет только время, — я осознал, что судьба послала мне ту единственную женщину, которую я способен был бы любить всю жизнь. Каждый миг, проведенный рядом с нею, — бесценен, и, несмотря на то что случилось, я повторил бы каждый сделанный мною шаг.

А время не только залечило раны, но и продемонстрировало мне кое-что забавное: не обязательно любить всю жизнь одного и того же человека. Я снова женился, я счастлив с моей второй женой и не могу себе представить, как бы я жил без нее. Причем это не заставляет меня отречься от всего, чем я жил прежде, тем более что я предусмотрительно избегаю сравнивать прежнее свое бытие с нынешним. Любовь нельзя измерить, как длину дороги или высоту здания.

От моего брака с Афиной осталось и еще одно чрезвычайно значительное явление — наш сын, плод ее заветной мечты, которую она открыла мне еще до того, как мы поженились. У меня есть сын и от второго брака, но теперь — не в пример тому, как обстояло дело двенадцать лет назад, — я превосходно подготовлен ко всем взлетам и падениям отцовства.

Однажды, когда я заехал за Виорелем — он проводит у нас уик-энды, — я набрался духу и задал Афине мучивший меня вопрос: почему она так спокойно восприняла мое решение уйти от нее?

— Потому что привыкла всю жизнь сносить страдания молча, — сказала она.

И лишь после этого обняла меня и выплакала все слезы, которые ей хотелось пролить в этот день.

Падре Джанкарло Фонтана

Я видел, как она пришла к воскресной мессе — по обыкновению, с ребенком на руках. Я знал, что у нее — трудное время, но вплоть до этого дня думал, что обычные и неизбежные в браке неурядицы рано или поздно сгладятся сами собой, благо оба супруга просто излучают Добро.

Целый год она не приходила по утрам со своей гитарой славить Пречистую Деву — была занята маленьким Виорелем, которого я имел честь окрестить, хоть и не мог припомнить ни одного святого с таким именем. Но воскресную мессу посещала исправно, а по окончании службы, когда остальные прихожане покидали церковь, мы всегда разговаривали. Она утверждала, что я — ее единственный друг, что мы вместе поклонялись Небесному, но теперь должна поделиться со мной вполне земными заботами.

Она очень любила Лукаса; он был выбран ею в спутники жизни; он стал отцом ее ребенка; он отказался от всего и нашел в себе мужество создать свою семью. Когда началось первые трения, она пыталась убедить его, что все это временно — просто сейчас она должна уделять много времени сыну, хоть и не собирается растить из него изнеженного барчука и очень скоро предоставит ему самому отвечать на вызов, бросаемый жизнью. Пройдет совсем немного времени — и она вновь станет такой, какой была при первых встречах, а может быть — и лучше прежней, ибо только теперь сознает свои обязанности и ответственность, которую налагает сделанный ею выбор. Ничего не помогало — Лукас по-прежнему чувствовал себя отвергнутым, Афина же пыталась разделить себя поровну между супругом и сыном — отчаянно, но безуспешно, ибо постоянно приходилось выбирать кого-то одного, и этим одним, разумеется, становился Виорель.

Сколь ни скудны были мои познания в психологии, я отвечал, что не впервые сталкиваюсь с подобными проблемами, что все мужчины в таких ситуациях чувствуют себя лишними и ненужными, но это — пройдет, как проходило у большинства моих прихожан. Как-то раз Афина обмолвилась, что, быть может, все же немного поторопилась — романтический образ юной матери мешал ей в полной мере осознать всю сложность реальных, а не надуманных проблем, неизбежно возникающих после рождения ребенка. Но теперь уже поздно — сделанного не воротишь.

Потом она спросила, не возьмусь ли я поговорить с Лукасом, который никогда не появлялся в церкви — то ли потому, что был неверующим, то ли — чтобы провести воскресное утро с сыном. Я изъявил готовность — пусть только придет по своей собственной воле. Но едва лишь Афина собралась попросить его об этом, как грянул настоящий кризис, и Лукас ушел из дому.

Я посоветовал ей набраться терпения, но Афина была ранена, можно сказать, в самое сердце. Ее ведь однажды уже бросили, так что всю ненависть, которую она испытывала по отношению к своей настоящей матери, она автоматически перенесла на мужа, хотя впоследствии, насколько я знаю, у них установились вполне дружеские отношения. Но тогда не было для Афины греха более тяжкого, чем разрыв семейных уз.

Она продолжала посещать церковь по воскресеньям, но после мессы сразу же возвращалась домой: сына-то оставлять теперь было не с кем, приходилось брать его с собой, а он плакал, отвлекая молящихся. Однажды нам все же удалось поговорить, и она рассказала, что служит в банке, снимает квартиру, так что я могу не беспокоиться — «отец» (она избегала называть имя бывшего мужа) выполняет свои финансовые обязательства.

А потом наступило то роковое воскресенье.

О том, что произошло на неделе, мне рассказал один из прихожан. Несколько ночей кряду я молил ангелов небесных вразумить меня и просветить, объяснить, что делать — выполнять ли мне мой долг перед Церковью или перед людьми. Но ангелы ко мне не снизошли, и тогда я попросил совета у викария. Тот объяснил мне, что Церковь сумела выжить лишь благодаря жесткому соблюдению всех своих догматов, а если бы мы начали делать исключения, то погибли бы еще в Средние века. Точно зная все, что случится, я хотел было позвонить Афине, но она не оставила мне свой новый номер.

Руки мои дрожали, когда я поднял дарохранительницу, освящая хлеб. Я произносил слова апостолов, передаваемые на протяжении тысячелетий из поколения в поколение. Но тотчас мысли мои обратились к этой юной женщине с ребенком на руках — новом воплощении Пречистой Девы, чуде материнства и любви, — которая, как всегда, стала в очередь и постепенно продвигалась к алтарю, чтобы получить причастие.

Думаю, большая часть общины уже знала о том, что произошло. Все смотрели на меня, ожидая, как я поведу себя. Со всех сторон меня окружали праведники, грешники, фарисеи, члены синедриона, апостолы, ученики, люди добрые и злые.

Афина остановилась передо мной и сделала то же, что всегда делала на причастии, — закрыла глаза и открыла рот, чтобы получить плоть Христову.

Плоть Христова оставалась у меня в руках.

Афина открыла глаза в недоумении.

— Мы поговорим после, — шепнул я.

Но она не трогалась с места.

— Ты не одна здесь. Другие тоже ждут причастия. Поговорим потом.

— Что случилось? — во всеуслышание спросила она.

— Я сказал: «После».

— Почему вы не даете мне причастие? За что унижаете меня перед всеми? Разве мало того, через что я уже прошла?

— Афина, догмат нашей церкви не допускает к причастию разведенных женщин. На этой неделе ты оформила развод. Поговорим потом.

Она не двигалась, и я жестом показал стоявшему позади, чтобы обошел ее. И, когда причастил последнего из прихожан, но еще не успел повернуться к алтарю, услышал этот голос.

Он не мог принадлежать девушке, которая пела под гитару, вознося хвалу Божьей Матери, а потом делилась со мной своими мечтами, и рассказывала мне о жизни святых, и чуть не плакала, жалуясь на свои семейные неурядицы. Так звучал бы голос раненого зверя, обрети он дар речи, — зверя униженного и переполненного ненавистью.

— Будь проклято это место! Будь прокляты те, кто не слушает слов Христовых и превращает его учение в каменную постройку! Ибо Христос сказал: *«Придите ко мне, страждущие и обремененные, и Я успокою вас...»* Я истерзана, я страждy, а вы не пускаете меня к Нему! Сегодня я поняла, как ваша церковь извратила Его слова и твердит отныне: *«Придите ко мне, следующие нашим правилам, а все прочие пусть пропадают!»* Клянусь, что ноги моей больше не будет здесь! Меня еще раз бросили, и на этот раз причина — не в денежных трудностях, не в слишком раннем браке! Будь прокляты все, кто закрывает дверь перед матерью с ребенком! Вы хуже тех, кто не приютил у себя Святое Семейство! Тех, кто отверг Христа, когда он так нуждался в друге!

Она повернулась и вышла, рыдая. Я завершил службу, дал последнее благословение и направился прямо в ризницу — в это воскресенье не будет ни праздных разговоров, ни того, что у нас называется «братанием». Я стоял перед философской дилеммой: надо ли было предпочесть законы и установления Церкви тем словам, на которых она зиждется?

Я уже стар, Господь в любую минуту может призвать меня к себе. Я храню верность моей религии и убежден, что католицизм, невзирая на все свои ошибки, искренне пытается исправиться. На это уйдут годы, а может быть, и десятилетия, но в один прекрасный день значение будет иметь только одно — любовь, звучащая в словах Христа: «Придите ко мне, страждущие и обремененные, и Я успокою вас...» Я посвятил всю жизнь священнослужению и ни на миг не раскаиваюсь в своем решении. Но в такие минуты, как те, что случились в это воскресенье, я, хоть и не сомневаюсь в вере, начинаю сомневаться в людях.

Теперь, когда мне известно, как сложилась жизнь Афины, я спрашиваю себя: неужели все это началось именно тогда, на мессе, или давно уже копилось в ее душе? Я думаю о многих Афинах и Лукасах, которые развелись и утратили право на причастие, — им остается лишь созерцать распятого, страдающего Христа и вслушиваться в его слова, а они далеко не всегда согласуются с законами Ватикана. Иногда эти люди отдаляются от церкви, но чаще продолжают приходить на мессу — просто оттого, что привыкли к этому, хотя чудо претворения вина и хлеба в кровь и плоть Христову для них — под запретом.

Еще я думаю, что Афина, выйдя из церкви, быть может, повстречала Иисуса. И с плачем бросилась в его объятия, в смятении прося объяснить, почему ее из-за какой-то бумажки с гербовыми марками, не имеющей никакого значения в плане духовном, не допускают в круг избранных.

Иисус же, глядя на Афину, быть может, ответил ей так:

— Видишь, дочь моя, я ведь тоже стою по эту сторону церковных врат. Меня уже так давно не пускают внутрь.

Павел Подбельский,

57 лет, хозяин квартиры

У нас с Афиной было нечто общее — и она, и я бежали из родных мест, спасаясь от ужасов войны, и попали в Англию еще в детстве, просто я оказался здесь на полвека раньше. Оба мы знали, что, невзирая на все перемены, традиции остаются и на чужбине, язык и религия выживают, члены общин жмутся друг к другу, ища защиты от окружения, навсегда чужого для них.

Да, традиции наших культур остаются живы, а вот желание вернуться на родину постепенно исчезает. Оно сменяется надеждой, которой мы любим себя обманывать, но которая никогда не осуществится: я больше не увижу Ченстохов, Афина и ее семья больше не будут жить в Бейруте.

И, конечно, если бы не это родство душ и чувство общности, я предпочел бы сдать третий этаж своего дома на Бассет-роуд жильцам без детей. Однажды такая ошибка уже была совершена, и в результате я жаловался на шум днем, а мои квартиранты — на шум ночью. И тот, и другой коренились в священных элементах бытия — в плаче и в музыке, — но поскольку мы с моими жильцами принадлежали к разным мирам, то терпимого отношения между нами не возникло.

Афину я честно предупредил, но она ответила, что я могу не беспокоиться: ее сын целый день проводит у бабушки с дедушкой. А моя квартира имела то преимущество, что помещалась совсем неподалеку от банка, где она работала.

И вот, несмотря на мои предупреждения, вытерпела она только первую неделю, а потом не выдержала. На восьмой день после вселения с ребенком на руках позвонила мне в дверь.

— Простите, он никак не может заснуть. Не могли бы вы сделать музыку потише?..

Все воззрились на нее.

— Что это такое?

Мальчик у нее на руках мгновенно перестал плакать, словно, как и мать, удивился при виде танцующих людей.

Я нажал кнопку «пауза», обеими руками поманил их к себе и, когда Афина переступила порог, снова пустил запись на полную громкость, чтобы не прерывать ритуал. Она уселась в углу, укачивая ребенка, и вскоре он уснул, несмотря на грохот ударных. Высидела всю церемонию, ушла вместе с другими гостями и, как я предвидел, утром, отправляясь на работу, вновь позвонила в мою дверь.

— То, что я увидела вчера, в объяснениях не нуждается. Я знаю, что значит, когда люди танцуют с закрытыми глазами. И сама часто так делала. Это были единственные в моей жизни минуты мира и душевного спокойствия. Раньше, до рождения Виореля, мы с мужем и нашими друзьями часто бывали в клубах и на дискотеках. И я видела, как люди танцуют с закрытыми глазами: одни — чтобы произвести впечатление «на публику», а другие — так, словно ими управляет какая-то необоримая сила. А я с тех пор, как помню себя, находила в танце способ войти в контакт с чем-то неизмеримо более сильным, чем я. Мне только хотелось бы знать, что это за музыка.

— А что вы делаете в воскресенье?

— Да ничего особенного. Буду гулять с Виорелем в Риджент-парке, дышать воздухом. У меня будет еще много времени для собственных дел — а пока мой распорядок дня подчинен сыну.

— Я пойду с вами, если не возражаете.

За два дня до нашей прогулки Афина снова пришла на ритуал. Мальчик через несколько минут заснул, а мать молча смотрела на то, что происходило вокруг. Она была совершенно неподвижна, но я видел, что душа ее — там, среди танцующих.

***

В воскресенье, когда мы гуляли в парке, я попросил ее повнимательней всматриваться и вслушиваться в окружающий ее мир — в трепещущие на ветру листья, в воду озера, в птичий щебет и собачий лай, в крики детей, носившихся из стороны в сторону и повиновавшихся будто своей, особой логике, недоступной пониманию взрослых.

— Все движется. И не просто так, а — в своем ритме. И все, что движется в своем ритме, порождает звук. Так происходит и здесь, и в любой другой точке нашей планеты. Наши далекие предки, когда прятались от стужи в своих пещерах, тоже замечали это: все на свете движется и производит шум. Они, вероятно, воспринимали это со страхом, а потом стали понимать, что так входит с ними в контакт Высшее Существо. И они принялись подражать этим звукам, раздававшимся вокруг, надеясь, что возникнет связь с этим Существом. Так появились музыка и танец. Несколько дней назад вы сказали, будто во время танца можете контактировать с чем-то неизмеримо более могущественным, чем вы сами.

— В танце я обретаю свободу. Верней сказать, я становлюсь свободным духом, который может странствовать по всей Вселенной, наблюдать настоящее, угадывать грядущее, превращаться в сгусток чистой энергии. И я получаю от этого огромное наслаждение и ни с чем не сравнимую, никогда прежде не испытанную радость. Был в моей жизни период, когда я была преисполнена решимости превратиться в святую: я возносила хвалу Господу музыкой и движениями своего тела. Но сейчас этот путь наглухо для меня закрыт.

— Какой путь?

Она поудобнее устраивала сына в коляске. Я видел — она не хочет отвечать. И настаивал на своем, ибо знал: когда уста затворены, должно быть произнесено нечто очень важное.

Совершенно невозмутимо и так, словно молчание неизменно должно было сначала согреть требования, предъявляемые ей жизнью, Афина рассказала мне о том, как священник — быть может, ее единственный друг — отказал ей в причастии. И о том, как в этот миг с ее уст сорвалось проклятие. Она порвала с католической церковью.

— Святой — это тот, кто умеет возвеличить свою жизнь, — объяснил я. — Достаточно понять, что все мы находимся здесь по некоей причине, и тогда достаточно будет вести себя в соответствии с нею. Тогда можно смеяться над большими или малыми страданиями и двигаться вперед без страха, осознавая, что каждый шаг исполнен смысла. Мы можем довериться свету, который источает Вершина.

— Что такое «Вершина»? В геометрии так называют высшую точку треугольника.

— Не только в геометрии. Это — верхушка, пик, кульминация. Это — рубеж для всех тех, кто, заблуждаясь, как свойственно каждому человеку, не теряют из виду свет, исходящий из сердца. Этим искусством мы и пытаемся овладеть, собираясь на наши ритуалы. Вершина скрыта внутри нас, и достичь ее мы сможем, если признаем ее и если сумеем различить ее свет.

Я объяснил, что танец, который она видела у меня в квартире накануне (в то время нас было десятеро в возрасте от 19 до 65 лет), назван мною «поиск Вершины». Афина спросила о происхождении этого названия.

И я рассказал, что вскоре после окончания Второй мировой войны кое-кому из моей родни удалось ускользнуть от коммунистического режима, устанавливающегося в Польше, и перебраться в Англию. По слухам, в этой стране особенно ценились произведения искусства и старинные книги — их-то и надо было везти с собой.

Картины и статуэтки сразу же были проданы, а книги пылились в дальнем углу. Потом я учился по ним читать, ибо моя мать не хотела, чтобы я забыл родной язык. В один прекрасный день между страницами книги Томаса Мальтуса я обнаружил два листка бумаги, исписанных рукой моего деда, погибшего в концлагере. Стал читать, думая, что это — распоряжения насчет имущества или послание какой-нибудь тайной возлюбленной (в семье жила легенда о том, что в России дед в кого-то влюбился).

На самом деле это был отчет о его жизни в Сибири после революции. Там, в маленьком городке Дедов (*найти этот городок на карте не удалось — либо его название было намеренно изменено, либо он исчез в ходе сталинских депортаций. — Прим. ред.*) он влюбился в одну актрису. По словам деда, она входила в некую секту, члены которой считали определенный вид танца средством спасения от всех бед, ибо он позволял вступать в контакт со «светом Вершины».

Опасаясь, что традиция может пресечься, поскольку жителей городка должны были переселить в другое место (Дедов граничил со строящимся полигоном для испытаний ядерного оружия), актриса и ее друзья попросили деда записать все, что он узнал. Он так и сделал, но, вероятно, не придал этому особого значения, ибо спрятал листки в книгу, где я их и обнаружил много лет спустя.

На этом месте Афина перебила меня:

— Но танец нельзя описать словами! Его можно только исполнить.

— Совершенно верно. Да и в записях было сказано лишь, что надо танцевать до изнеможения, уподобляясь альпинистам, совершающим восхождение на вершину. Танцевать до тех пор, пока не начнешь задыхаться, и тогда организм будет получать и потреблять количество кислорода, к которому не привык. Это приведет к потере ощущений пространства и времени и к утрате собственной личности. Танцевать под ритмичный звук барабана, повторяя это ежедневно, и осознать, что в определенный момент глаза начинают закрываться сами собой и мы различаем исходящий из нас свет, который отвечает на наши вопросы и высвобождает скрытое в нас могущество...

— И ваши тоже?

Вместо ответа я предложил ей присоединиться к нашей группе, тем более что Виорель прекрасно засыпал при любом шуме. И на следующий день, в условленный час Афина пришла ко мне. Я представил ее остальным как соседку; никто ни о чем не спрашивал ее и не рассказывал о себе. Когда пришло время, я включил музыку, и мы начали танцевать.

Сначала Афина присоединилась к нам, продолжая держать сына на руках, но вскоре он уснул, и тогда она положила его на диван. Прежде чем закрыть глаза и впасть в транс, я увидел, что она *постигла путь к Вершине*.

И с тех пор она ежедневно, кроме воскресений, появлялась у меня. Я ставил музыку, которую один мой друг вывез из русских степей, и мы принимались танцевать в буквальном смысле — до упаду. Через месяц она попросила у меня запись.

— Я хочу делать это по утрам, перед тем, как отвести сына к моей матери и отправиться на работу.

— Мне кажется, — возразил я, — что люди, связанные между собой одной энергией, создают некую особую ауру и помогают всем и каждому впасть в транс. А кроме того, если заниматься этим перед работой, то надо быть готовой к увольнению, потому что весь день вы будете утомлены до предела.

Подумав немного, она отвечала так:

— Вы правы в том, что касается коллективной энергии. Я вижу, что в вашей группе — пять супружеских пар, включая вас с женой, и все они обрели любовь. И потому могут разделить эту позитивную энергию со мной. Но я-то — одна. Вернее, я — с сыном, но он пока еще не в силах выразить свою любовь в доступной нашему пониманию форме. И я предпочитаю принять свое одиночество: если попытаюсь бежать от него, то никогда больше не встречу достойного партнера. Если же не противиться ему, то, быть может, что-нибудь переменится. Я уже могла убедиться, что, когда стараешься бороться с одиночеством, оно становится только крепче, зато слабеет, когда мы попросту не замечаем его.

— Вы пришли к нам в поисках любви?

— Что ж, это достойная причина, но я отвечаю: «Нет». Не за любовью. Я ищу смысла моей жизни, который пока сводится к заботам о сыне. И я опасаюсь, что это способно будет погубить его — либо чрезмерной и мелочной опекой, либо тем, что я буду проецировать на него собственные несбывшиеся ожидания, нереализованные мечты. Как-то на днях, во время танца, я почувствовала, что выздоровела. Если бы дело касалось физического самочувствия, это можно было бы назвать чудом. Но это было из сферы духовного — как если бы что-то, тревожившее меня, вдруг исчезло.

Я знал, о чем она говорит.

— Меня ведь никто не учил танцевать под эту музыку, — продолжала она. — Но у меня такое чувство, вернее — предчувствие, будто я знаю, что делаю.

— Ничему и не надо учиться. Вспомните нашу первую прогулку в парке — природа сама творит ритм, соответствующий каждому мгновению.

— И любить меня тоже никто не учил. Но я любила Господа, любила своего мужа, сейчас люблю сына и родителей. И все равно — чего-то недостает. И хотя я устаю после танца, но, остановившись, чувствую, как на меня снисходит благодать — я впадаю в глубокий экстаз. Я хотела, чтобы это состояние продолжалось весь день. И чтобы оно помогло мне обрести недостающее — любовь мужчины. В танце я могу видеть его сердце, хоть и не в силах различить его лицо. Я ощущаю его близость и потому должна быть внимательна: я хочу танцевать утром, чтобы в течение всего дня не пропустить ничего из происходящего вокруг.

— А вы знаете, что означает слово «экстаз»? Это слово греческое и буквально переводится так: «выйти из самого себя». Целый день провести в таком состоянии — это чересчур и для тела, и для души.

— Я все же попытаюсь.

Убедившись, что мне ее не переубедить, я сделал копию записи. И с тех пор, ежедневно просыпаясь от доносившихся сверху грохота музыки и звука ее шагов, я спрашивал себя, как ей удается работать в банке после того, как она целый час провела в трансе? Как-то раз, повстречав ее в подъезде, я предложил выпить кофе. Афина сообщила мне, что размножила запись, и теперь многие ее сослуживцы тоже *ищут Вершину*.

The Dance

— Может быть, я зря это сделала? Это — тайна?

Да нет, разумеется. Скорее наоборот — она помогала мне сохранять почти пресекшуюся традицию. В заметках моего деда я нашел упоминание о какой-то женщине: та рассказывала об одном монахе, который уверял, что в нас присутствуют все наши предки и бесчисленные поколения потомков. Освобождаясь, мы тем самым освобождаем и человечество.

— И, значит, все жители того сибирского городка должны быть рады. И просто — должны быть. Их труд благодаря вашему деду возрождается в этом мире. Но вот что меня занимает: почему вы решили начать танцевать, прочитав эти странички? А если бы в них речь шла о спорте, то решили бы стать футболистом?

Меня никогда еще не спрашивали об этом.

— Дело в том, что я в ту пору был болен. Какая-то редкая разновидность артрита. Врачи сказали, что годам к тридцати пяти я буду прикован к инвалидному креслу. Времени впереди оставалось мало, вот я и решил тогда посвятить себя тому, что впредь будет для меня недоступно. А дед на этом клочке бумаги записал, что обитатели Дедова верили в целебные свойства транса.

— И, судя по всему, оказались правы.

Я ничего ей не ответил, хотя не разделял ее убежденности. Быть может, ошиблись врачи, вынося мне свой приговор. Быть может, сознание того, что юный эмигрант не может позволить себе роскошь болеть, оказало столь могучее воздействие на мое бессознательное, что вызвало естественную реакцию организма. А быть может, все-таки случилось чудо, опровергающее мою присущую доброму католику убежденность в том, что танцы не исцеляют.

Я вспоминаю, как в отрочестве, не найдя музыки, которая отвечала бы душевному настроению, я натягивал на голову черный капюшон и, представляя, что мира вокруг меня не существует, переносился мысленно в Дедов, ко всем этим людям, к моему деду и его возлюбленной-актрисе. В обступавшем меня безмолвии я просил их научить меня танцу, вывести за положенные мне границы, ибо в самом скором времени мне будет грозить паралич. Чем больше двигалось мое тело, тем отчетливей видел я свет, исходящий из моего сердца, и тем большему я учился — то ли у самого себя, то ли у теней прошлого. Я даже овладел способностью слышать музыку, звучавшую на их ритуалах, и когда много лет спустя кто-то из моих приятелей побывал в Сибири, я попросил его привезти несколько дисков и, к неописуемому своему изумлению, услышал на одном из них музыку, много лет назад воображенную мной.

Но Афине я решил об этом не рассказывать — она показалась мне человеком очень впечатлительным, внушаемым и неуравновешенным.

Незадолго до ее поездки на Ближний Восток у нас с нею состоялся еще один разговор: тогда она была счастлива и умиротворена, и как будто обрела желаемое — любовь.

— Мои коллеги создали группу и называют себя «Паломники Вершины». Все это благодаря вашему деду.

— Благодаря вам — вы испытали потребность разделить это знание с другими. Я слышал, что вы собираетесь уезжать, и хочу поблагодарить вас за то, что сумели придать новый масштаб тому, что я делал на протяжении многих лет, пытаясь рассеять этот свет среди немногих заинтересовавшихся им людей. Но делал я это робко, ибо опасался, что люди сочтут всю эту историю полной чушью.

— А знаете, что я обнаружила? Экстаз — это способ выйти из себя, но танец — это возможность подняться в Космос. Открыть новые измерения, при этом не нарушая контакта с собственным телом. Благодаря танцу мир духовный и мир реальный способны сосуществовать. Мне кажется, что балерины стоят на пуантах потому, что одновременно прикасаются к земле и достигают небес.

Насколько я помню, это были последние слова Афины. Во время танца, которому мы предавались с ликованием, мозг теряет свою контролирующую силу и бразды правления над телом у него перехватывает сердце. Лишь в такие мгновения появляется Вершина.

Если веришь в нее, разумеется.

Питер Шерни,

47 лет, генеральный директор филиала банка (название удалено) в Холланд-парке, Лондон

$\mathcal{R}$ принял Афину на работу исключительно потому, что ее отец был одним из самых уважаемых клиентов нашего банка, — в конце концов, не зря же говорится, что рука руку моет. Она показалась мне человеком горячим и вспыльчивым, и я поставил ее на чисто канцелярскую должность, требующую совсем иных черт характера, ибо втайне надеялся — Афина вскоре уволится, а я с чистой совестью смогу сказать ее отцу, что вот, мол, пытался ей помочь да не вышло.

Мой опыт руководителя научил меня распознавать душевное состояние подчиненных, даже если те не произносят ни слова. Из курса лекций по менеджменту я усвоил: хочешь избавиться от подчиненного — любым способом сделай так, чтобы он сорвался и нагрубил тебе, и тогда получишь законный предлог для увольнения.

Я сделал все возможное, чтобы Афину можно было уволить, что называется, за дело. Поскольку с голоду она не умерла бы и без этих денег, то с течением времени поняла бы, что совершенно не обязательно вставать рано, завозить ребенка к бабушке, целый день заниматься монотонной работой, возвращаться домой, по пути забирая сына, идти в супермаркет, кормить сына и укладывать его спать, а наутро все начинать сначала, тратя по три часа на дорогу общественным транспортом. Без всего этого можно преспокойно обойтись, а своему времени найти гораздо лучшее применение. Она становилась все более раздражительной, и я гордился: избранная мною стратегия должна была привести к успеху. Афина жаловалась, что не высыпается — хозяин ее квартиры по ночам заводит громкую музыку.

И вдруг что-то изменилось. Сначала — в самой Афине. Потом — во всем агентстве.

Как я заметил эти перемены? Ну, видите ли, всякий коллектив напоминает оркестр: хороший руководитель подобен дирижеру, который слышит, какой инструмент не настроен или фальшивит, какой выбивается из слаженного ансамбля, а какой — покорно вторит остальным. Афина вела свою партию без малейшего воодушевления, как-то отстраненно и никогда не делилась с коллегами печалями и радостями, давая понять, что ее жизнь за порогом конторы сводится к воспитанию сына. Но с некоторых пор она сделалась общительней и приветливей и рассказывала всем, кто хотел слушать, что нашла способ омоложения.

Слово, конечно, волшебное — «омоложение». Если учесть, что произносит его женщина, которой едва минул 21 год, звучит диковато, но люди верят и просят раскрыть секрет.

Круг служебных обязанностей Афины не изменился, но работать она стала лучше. Коллеги, прежде ограничивавшиеся только «здравствуй» и «до свиданья», стали предлагать ей вместе пообедать, а возвращались с перерыва в неизменно хорошем настроении. Продуктивность отдела сделала прямо-таки огромный скачок.

Я знаю, что страсть — заразительна, и потому сразу заподозрил, что в жизни Афины произошла какая-то очень важная встреча. Спросил ее, так ли это, и она подтвердила мою догадку, добавив, что никогда раньше не принимала приглашения клиентов, но в этом случае отказаться было невозможно. В обычной ситуации ее немедленно уволили бы, ибо по нашим правилам личные отношения категорически запрещены. Но тут дело обстояло иначе: к этому времени я заметил, что она «заразила» едва ли не всех сослуживцев — многие встречались с нею после работы, а по крайней мере двое или трое бывали у нее дома.

Вырисовывалась довольно опасная ситуация — юная стажерка, не имевшая ни малейшего опыта работы, существо то застенчивое, то вспыльчивое, превратилась в неформального лидера моих сотрудников. Уволить ее — скажут, что я приревновал, и я потеряю свой авторитет. Оставить? Через несколько месяцев я вполне могу лишиться рычагов управления.

Я решил выждать, ничего не предпринимая. Тем временем «энергетика» (терпеть не могу это слово, которое ничего конкретного не означает, если речь не идет об электричестве) агентства заметно усилилась. Исчезли жалобы и нарекания; благодаря рекомендациям старых клиентов стали появляться новые. Служащие пребывали в прекрасном настроении, и, хотя работы прибавилось едва ли не вдвое, нанимать новых сотрудников не пришлось — все справлялись со своими обязанностями.

Однажды я получил письмо от своих начальников. Мне предстояло отправиться в Барселону и там провести нечто вроде семинара, объясняя свои новые методы работы. По словам боссов, я сумел увеличить прибыль, а расходы — снизить, а именно и только это, говорилось в письме, интересует бизнесменов во всем мире.

Что еще за новые методы?

Хорошо хоть я отлично помнил, с чего все началось, и потому вызвал к себе в кабинет Афину. Начал с того, что похвалил ее за хорошую работу, и она благодарно улыбнулась в ответ.

— Ну а как поживает ваш друг? Я всегда был уверен, что тот, кто получает любовь, тот и дает любовь. Чем он занимается? — осторожно продолжал я.

— Работает в Скотланд-Ярде (*отдел расследования, присоединенный к городской полиции Лондона. — Прим. ред.*).

В подробности я предпочел не вдаваться. Однако разговор следовало как-то продолжить, а времени у меня было в обрез.

— Я заметил, что вы сильно изменились и...

— Сильно изменилось все агентство?

Как отвечать на такое? С одной стороны, я наделяю ее слишком большим могуществом, а с другой — если не подтвердить ее правоту, я не получу ответа на свои вопросы.

— Да, перемены очевидны. И я подумываю о том, чтобы повысить вас в должности.

— Мне нужно ездить по свету. А сейчас я хочу ненадолго покинуть Лондон... раздвинуть горизонты.

Ездить? Она хочет уехать сейчас, когда все стало налаживаться? А впрочем, не это ли — желанный выход, который я планировал?

— Я смогу помогать банку, если у меня будет более ответственная работа, — продолжала она.

Я понял: Афина предоставляет мне блистательный шанс. Как это я сам не подумал об этом раньше? Устроить так, чтобы она «ездила», — значит удалить ее отсюда, вернуть себе главенствующее положение, причем застраховав себя от неприятностей, связанных с ее увольнением. Однако надо было как следует поразмыслить над этим, потому что, прежде чем помочь банку, она должна помочь мне. Мои боссы заметили, что мы стали работать лучше, и теперь нужно удержаться на этом уровне, иначе я рискую потерять престиж и ухудшить свое положение. Я понимаю, почему многие мои коллеги не стремятся лезть из кожи вон, чтобы повысить продуктивность. Если им это не удастся, их сочтут людьми некомпетентными, и все на этом. А если удастся, им придется постоянно повышать показатели, и эта гонка кончится инфарктом.

И следующий шаг я сделал очень осторожно: не стоит пугать человека, прежде чем не вызнаешь у него нужный тебе секрет. Лучше притвориться, что соглашаешься на его просьбу.

— Я постараюсь доложить о вашем желании по начальству. Мне предстоит встреча в Барселоне, и я вызвал вас, кстати, по этому поводу. Можно ли считать, что мы стали работать продуктивней с тех пор, как у наших сотрудников улучшились отношения с вами?

— Скорее — с самими собой. Так будет точнее.

— Ну да. Но причина этого улучшения — вы, не так ли?

— Вы сами знаете, что так.

— Может быть, вы проштудировали какое-нибудь неизвестное мне руководство по менеджменту?

— Я таких книг не читаю. И мне хотелось бы, чтобы вы пообещали внимательно отнестись к моей просьбе.

Я вспомнил о ее возлюбленном из Скотланд-Ярда: а если пообещаю и не исполню, не будет ли у меня неприятностей? А может быть, это он обучил ее какой-нибудь «тонкой технологии», позволяющей добиваться немыслимых результатов?

— Я могу рассказать вам абсолютно все, даже если вы не выполните свое обещание. Но не уверена, что вы достигнете успеха, если не станете делать то, чему я вас обучу.

— Вы об этой «технике омоложения»?

— Да.

— Разве не достаточно знать это в теории?

— Может быть, и достаточно. К человеку, который обучил меня ей, попали всего лишь несколько листков бумаги.

Я остался очень доволен, что не пришлось принимать решения, которые были бы вне моей компетенции и шли бы вразрез с моими принципами. Впрочем, должен признать, что был у меня и личный интерес в этой истории, ибо я мечтал, так сказать, перезарядить свои батареи. Итак, я пообещал, что сделаю все возможное, Афина же принялась рассказывать о долгом эзотерическом танце, цель которого — постижение Вершины (или Оси, сейчас уж не помню). Часа не хватило, и я попросил ее продолжить завтра, а пока мы с нею вместе подготовили доклад руководству банка. На каком-то этапе нашего разговора она сказала с улыбкой:

— Вы не бойтесь сообщить что-нибудь близкое к тому, о чем мы говорили. Я думаю, что члены правления — такие же люди, как мы с вами, люди из мяса и костей, и должны интересоваться необычными, не укладывающимися в привычные рамки вещами.

Тут Афина попала, что называется, пальцем в небо: в Англии традиции ставят куда выше, чем новации. Но отчего бы и не рискнуть, если опасность не грозит моей работе? И, хотя все это казалось мне заведомым абсурдом, следовало резюмировать все и изложить в общепонятной форме. И этого достаточно.

***

В Барселоне, прежде чем начать свой доклад, я все утро твердил себе: «мой» процесс дал результат, а все прочее — не в счет. В свое время я прочел несколько учебников и уяснил: для того, чтобы внедрить новую идею с максимальным успехом, необходимо правильно построить свою лекцию — так, чтобы с первых слов захватить аудиторию. И потому первая фраза, которую услышали высокопоставленные сотрудники, собравшиеся в конференц-зале феше-небельного отеля, принадлежала апостолу Павлу: «Господь таит самое важное от премудрых, ибо те не разумеют и простого, и открывает его простодушным» (*не удалось установить, имеется ли в виду высказывание апостола Матфея «...славлю Тебя, Отче, Господи неба и земли, что*

Ты утаил сие от мудрых и разумных и открыл то младен-цам» (Мф 11: 25) или стих из Первого послания к Коринфя-нам апостола Павла: «Но Бог избрал немудрое мира, чтобы посрамить мудрых, и немощное мира избрал Бог, чтобы посрамить сильное» (1 Кор 1: 27). — Прим. ред.).

Как только я произнес эти слова, слушатели, целыми днями анализировавшие графики и диаграммы, замолкли. Я решил, что уже уволен, но все же продолжил. Во-первых, потому, что глубоко изучил тему, знал, о чем говорю, и заслуживал доверия. Во-вторых, потому, что я, хоть и вынужден был обходить молчанием огромное влияние Афины на весь процесс, говорил чистую правду.

— Мне удалось установить, что для правильной мотивации необходимо нечто большее, нежели тренинги на наших курсах и семинарах, сколь бы полезны они ни были. В каждом из нас таится нечто непознанное и неведомое, так что, если выявить его, можно творить настоящие чудеса.

Каждый из нас трудится по какой-то причине: надо кормить семью, надо зарабатывать деньги на существование, оправдать свое бытие, добиться своей частицы власти. На этом пути встречаются скучные этапы, но весь секрет заключается в том, чтобы преобразовать их во встречу с самим собой или с чем-то более возвышенным.

Например: далеко не всегда поиски прекрасного связаны с какой-то практической целью, но мы, тем не менее, продолжаем их, словно ничего важнее нет на свете. Птицы учатся петь, хотя это не поможет им добыть корм, спастись от хищников, отогнать паразитов. Если верить Дарвину, птицы поют потому лишь, что это — единственный способ привлечь партнера и продолжить род.

Менеджер из Женевы прервал мою речь, потребовав держаться ближе к сути дела. Однако генеральный директор попросил меня продолжать и тем самым ободрил.

— По мнению Дарвина, написавшего книгу, которая преобразила развитие всего человечества (*«Происхождение видов» (1871), где показывается, что человек совершил естественную эволюцию от одного из видов обезьян. — Прим. ред.*), все, кто может пробудить в себе страсти, повторяют то, что происходило в доисторические времена, когда ритуалы и обряды привлечения самки были необходимым условием выживания и дальнейшего развития рода человеческого. А существует ли разница между эволюцией человека и банковского агентства? Никакой — оба подчиняются одним и тем же законам: выживает и развивается сильнейший.

Тут мне пришлось упомянуть, что эта идея получила развитие благодаря спонтанному сотрудничеству с одной из моих подчиненных — Шерин Халиль.

— Шерин, которой нравится называть себя Афиной, сумела привнести в служебную деятельность новый тип отношений, а иначе говоря — страсть. Именно ее, страсть, мы никогда не берем в расчет при составлении наших бизнес-планов, сокращении издержек и повышении рентабельности. Мои подчиненные начали использовать музыку в виде стимула для лучшего обслуживания клиентов.

Меня опять перебили замечанием, что это давным-давно придумано и используется в супермаркетах. Есть мелодии, которые побуждают покупателей набирать побольше товара.

— Да нет же, я ведь не сказал, что с помощью музыки мы меняем атмосферу нашего банка. Дело в том, что сотрудники начали жить по-другому после того, как Афина научила их перед началом рабочего дня заниматься танцами. Не могу точно определить, какой механизм при этом приводится в действие — как управляющий, я отвечаю только за результаты, а не за сам процесс. Сам я не танцевал ни разу. Однако понял, что благодаря этому танцу все мои сотрудники прочнее и крепче связываются с тем, что делают.

С рождения нас сопровождает присловье «Время — деньги». Каждый из нас точно знает, что такое деньги, но кто возьмется определить значение понятия «время»? Сутки состоят из двадцати четырех часов и астрономического числа мгновений. Мы должны осознать и прочувствовать каждое из них и уметь применить их к тому, что делаем, даже если мы всего лишь созерцаем течение жизни. Если сбавим скорость, все на свете обретет большую длительность. Разумеется, это относится и к мытью посуды, и к подбиванию баланса, и к погашению кредитов, но почему бы одновременно с этим не думать о чем-то приятном, не радоваться уже тому обстоятельству, что ты — жив?

Менеджер смотрел на меня удивленно. Я не сомневался — ему хотелось бы, чтобы я продолжил детально излагать все, чему научился, однако остальные беспокойно заерзали.

— Прекрасно понимаю, что вы хотели сказать, — заметил он. — Знаю, что ваши подчиненные работают теперь с большим воодушевлением, ибо по крайней мере на одно мгновение вступают в контакт с самими собой. И хотелось бы поздравить вас с тем, что вы оказались столь гибким руководителем и внедрили такие нетрадиционные формы обучения, которые дали великолепные результаты. Однако раз уж вы упомянули о времени, напомню вам о регламенте: у вас остается пять минут, чтобы завершить выступление. И скажите, можно ли будет выработать список основных пунктов, чтобы внедрить эти принципы и в других агентствах, отделениях и филиалах?

Он был прав. Все это могло помочь моей карьере, а могло бы и погубить ее. Так что я решил сформулировать суть того, что было написано мною вместе с Афиной.

— Основываясь на личных наблюдениях, мы с Шерин Халиль сумели обозначить основные положения, которые мне хотелось бы обсудить со всеми, кого они заинтересуют. Итак:

1. В каждом из нас таится неведомая и обычно остающаяся неведомой нам самим способность, кото-

рая может стать нашей союзницей. Ее невозможно измерить, взвесить или оценить иным способом, а потому ее и не берут в расчет, но я обращаюсь сейчас к людям и уверен, что они меня понимают — пусть хотя бы на теоретическом уровне.

2. В агентстве, которым я руковожу, подобная энергия может высвобождаться благодаря танцу в ритме мелодии, зародившейся, если не ошибаюсь, где-то в пустынях Азии. Впрочем, происхождение совершенно не важно, если только люди могут при помощи тела выразить стремления души. Понимаю, что слово «душа» может быть неправильно понято, а потому предлагаю заменить его на слово «интуиция». Если же и оно не годится, давайте скажем «первичные эмоции» — это будет самым научным определением, хотя охватывает менее широкий круг понятий, нежели предыдущие термины.

3. Я побуждаю своих подчиненных к тому, чтобы перед уходом на службу они вместо гимнастики или аэробики танцевали в течение часа (самое малое). Это стимулирует дух и плоть тех, кто начинает день, возбуждая в них творческий, креативный импульс, а аккумулированная ими энергия потом воплощается в служебную деятельность.

4. Служащие и клиенты банка живут в одном и том же мире: реальностью становится не более чем цепь электростимулов в нашем мозгу. То, что, как нам кажется, мы «видим», есть воздействие импульсов энергии на совершенно темную зону мозга. Следовательно, мы можем изменить реальность, если

обретем синтонность, то есть настроимся на ту же волну. По неведомым мне причинам радость — заразительна, точно так же как воодушевление и любовь. Или как печаль, подавленность, ненависть — все, что может быть интуитивно воспринято клиентами и сослуживцами. Для того чтобы улучшить работу, необходимо создать механизмы, которые будут удерживать позитивные стимулы.

— Эзотерика какая-то, — сказала дама из канадского агентства паевых фондов.

Я немного смешался — значит, никого не сумел убедить? Сделал вид, что пропустил эту реплику мимо ушей и, собрав всю свою творческую энергию, нашел концовку, выдержанную в техническом ключе:

— Банк должен ассигновать определенные средства на изучение этих механизмов, которые могут повысить наши прибыли.

Этот финал казался мне более или менее удовлетворительным — до такой степени, что я решил не использовать две остававшиеся у меня минуты. По окончании этого утомительного семинара, уже вечером, генеральный директор пригласил меня поужинать вместе и сделал это на виду у моих коллег — так, словно намеревался показать всем, что поддерживает меня в моих начинаниях. Прежде такой возможности мне не представлялось, и теперь я хотел использовать ее наилучшим образом: говорил о расширении зоны охвата, об инвестициях, о рынке акций. Однако он прервал меня — его интересовало лишь то, чему я выучился у Афины.

А под конец, к моему удивлению, он перевел разговор на личные дела:

— Я знаю, что вы имели в виду, когда упомянули о времени. В начале года, на рождественских каникулах, я решил посидеть в саду возле дома. Достал из почтового ящика газету — ничего интересного: лишь то, что, по мнению журналистов, мы должны знать, о чем обязаны иметь представление и к чему должны относиться так или эдак.

Захотелось позвонить кому-нибудь из моей команды, но я счел эту мысль абсурдной — ведь все уже были в кругу семьи. Я пообедал с женой, детьми и внуками, вздремнул, а когда в два часа дня проснулся, понял, что впереди еще три дня полного безделья. Как ни приятно мне было общаться с близкими, вскоре я начал чувствовать собственную никчемность.

На следующий день, благо свободного времени было в избытке, я прошел медицинское обследование, которое, к счастью, не обнаружило у меня ничего серьезного. Потом отправился к зубному врачу, но и тот сказал, что у меня все в порядке. Потом опять был обед в кругу семьи и послеобеденный сон до двух часов. И снова, проснувшись, я понял, что мне решительно не на чем сосредоточить внимание.

Я даже слегка испугался — разве не должен я что-то делать? Впрочем, если бы потребовалось придумать себе занятие, то я бы с этим справился довольно легко: заменить перегоревшие лампочки, сгрести опавшие листья в саду, подумать о развитии кое-каких проектов, упорядочить компьютерные файлы... Да мало ли что?! В эту минуту я вспомнил о том, что казалось мне делом чрезвычайной важности — бросить в почтовый ящик, находящийся примерно в километре от моего загородного дома, забытую на столе поздравительную открытку.

И вдруг сам удивился: а почему надо отправлять ее непременно сегодня? Разве нельзя остаться дома и вообще ничего не делать?

Вереница мыслей пронеслась в моей голове. Вспомнились приятели, озабоченные событиями, которые еще не случились, знакомые, заполняющие каждое мгновение своей жизни делами и заботами, мне кажущимися совершенной ерундой, вспомнились долгие и бессмысленные телефонные разговоры. Вспомнились мои директора, придумывающие себе работу, чтобы оправдать свои должности, вспомнились их подчиненные, которые, не получив задания на день, терзаются страхом — не значит ли это, что от них нет больше прока и пользы? Вспомнилось, как страдает моя жена из-за того, что наш сын развелся, а сын — из-за того, что наш внук нахватал двоек в школе, а сам этот внук — из-за того, что причиняет огорчения родителям. При этом все мы знаем, что отметки не так уж важны.

И ради того, чтобы не трогаться с места, я выдержал долгую и ожесточенную борьбу с самим собой. И мало-помалу снедавшая меня жажда деятельности сменилась созерцательным настроением. Вот тогда я начал слышать голос своей души — или интуиции, или «первичных эмоций», смотря по тому, во что вы верите. И эта часть меня безумно хочет высказаться, но я вечно занят и мне не до нее.

В моем случае не танец, а полнейшее безмолвие, отсутствие малейшего звука, тишина и неподвижность помогли мне вступить в контакт с самим собой. Можете мне не верить, но я нашел ключ к решению многих проблем, не дававших мне покоя, хотя именно в те минуты, когда я сидел здесь, они отодвинулись в какую-то дальнюю даль. Я не увидел Господа, но отчетливо осознал, какие решения следует принять.

Прежде чем уплатить по счету, генеральный предложил мне направить Афину в Дубай, где наш банк открывал свое отделение и риски были значительны. Как первоклассный менеджер, он понял, что я уже усвоил все, что требовалось, и теперь эта сотрудница могла бы принести больше пользы в другом месте. Сам того не зная, он помог мне выполнить мое обещание.

Вернувшись в Лондон, я тотчас предложил Афине новую должность, и она согласилась без колебаний. Сказала, что свободно говорит по-арабски (я знал о ее происхождении). Но работать ей предстоит не с местными, а с иностранцами, ответил я и поблагодарил ее за помощь. Она не проявила ни малейшего интереса к моей барселонской лекции и спросила только, когда ей надо быть готовой к отъезду.

Я и сейчас не знаю, соответствует ли действительности ее рассказ о женихе из Скотланд-Ярда. Будь это так, ее убийцу давно бы уже схватили — ибо я не верю ни единому слову из того, что понаписали газеты насчет этого преступления. Я очень хорошо разбираюсь в финансовом строительстве, я могу даже позволить себе роскошь сказать, что танец помогает банковским клеркам работать лучше, но никогда не пойму, почему лучшая в мире полиция одних убийц хватает, а других оставляет на свободе.

Впрочем, сейчас это уже не имеет значения.

Набиль Альайхи,

возраст неизвестен, бедуин

*Ч*то говорить, приятно узнать, что моя фотография висела у Афины на почетном месте. Но я не верю, что моя наука могла хоть в чем-то ей пригодиться. Она приехала сюда, в самое сердце пустыни, с трехлетним сыном на руках. Открыла сумку, вытащила магнитофон и села у моего шатра. Я знал, что городские называют мое имя чужестранцам, охочим до местной кухни, и сразу сказал, что, мол, до ужина еще далеко.

— Я не за тем сюда приехала, — отвечала она. — Ваш племянник Хамид — клиент банка, где я работаю, — сказал мне, что вы — мудрец.

— Хамид — молод и глуп. Говорит, что я мудр, но никогда не следует моим советам. Пророк Мухаммед, да пребудет с ним благословение Бога, вот *он* был истинно мудр.

Потом я указал на ее машину:

— Не стоит водить машину по незнакомой местности. И тем более — без проводника.

Вместо ответа она включила магнитофон. В следующее мгновение я видел только, как эта женщина запорхала над песчаными барханами. Сын глядел на нее с радостным изумлением. Музыка заполняла, казалось, все пространство пустыни. Завершив танец, она спросила, понравилось ли мне.

Я сказал — понравилось. В нашей религии есть ответвление, приверженцы которого танцуют, чтобы встретиться с Аллахом, благословенно будь Его Имя! (*Название этого течения в исламе — суфизм. — Прим. ред.*)

— Ну, хорошо, — сказала женщина, чье имя было — Афина. — С первых дней жизни я чувствовала, что должна приблизиться к Богу, но постоянно удаляюсь от него. Музыка была одним из путей, ведущих к нему, но этого недостаточно. Всякий раз, как я начинаю танцевать, я вижу свет, и свет этот велит мне идти дальше. Я больше не могу учиться у себя самой — теперь мне нужен тот, кто научит меня остальному.

— Аллах в милосердии своем всегда рядом с нами, — ответил я. — Живи достойно, и этого будет достаточно.

Но слова мои не убедили женщину. Тогда я сказал, что занят и мне надо готовить ужин для туристов, которые скоро появятся. Но Афина ответила, что согласна ждать, сколько надо.

— А ребенок?

— Не беспокойтесь о нем.

Занимаясь обычными своими делами, я то и дело поглядывал на мать и сына: казалось, что они сверстники, — наперегонки носились по пустыне, катались в песке, играли. Тут проводник привел трех немецких туристов. За ужином они попросили пива, и мне пришлось ответить, что вера не позволяет мне ни пить самому, ни подавать другим спиртное. Я пригласил Афину и ее ребенка отведать моего угощения, и один из туристов очень оживился при неожиданном появлении женщины. Сказал, что очень богат, собирается купить здесь земли, ибо верит, что у здешних мест — большое будущее.

— Я тоже в это верю, — отвечала она.

— Так, может быть, мы с вами отойдем в сторонку и без помехи обсудим возможность...

— Нет, — прервала она его и протянула свою визитку. — Если угодно, вот мой банк.

Туристы вскоре уехали, а мы сели у входа в шатер. Мальчик уснул. Я принес одеяла. Мы загляделись на звездное небо. Долгое молчание прервал ее вопрос:

— Так почему же Хамид считает вас мудрецом?

— Потому, должно быть, что я наделен большим терпением, нежели он. В свое время я пытался преподать ему свое искусство, но Хамида интересовало только, как бы заработать — побольше и побыстрее. Теперь, наверно, он уверен, что мудрее меня: у него есть квартира и яхта, а я сижу посреди пустыни, обслуживая редких туристов. Ему невдомек, что мне нравится то, что я делаю.

— Боюсь, вы ошибаетесь: было бы невдомек — не стал бы рассказывать о вас всем и каждому, причем — с большим уважением. А что вы называете «своим искусством»?

— Сегодня я видел, как ты танцуешь. Я делаю то же самое, только движется не тело, а буквы, — ответил я.

Мои слова удивили ее.

— Я приближаюсь к Аллаху — благословенно будь Его Имя! — через каллиграфию, через поиски совершенного смысла для каждого слова. Одна-единственная буква требует, чтобы мы вложили в нее всю таящуюся в ней силу — так, словно мы вырезаем или высекаем ее значение. И когда священные тексты будут написаны, в них пребудет душа человека, послужившего орудием для того, чтобы они распространились по всему свету. И не только священные тексты — все, что мы доверяем бумаге. Ибо рука, выводящая строчки, есть отражение души пишущего.

— Вы научите меня тому, что знаете сами?

— Ну, прежде всего, я не уверен, что человек, переполненный энергией, будет усидчив и терпелив. Кроме того, это искусство не принадлежит к твоему миру, где истины не выводят от руки, а печатают машинами, да притом еще — не слишком задумываясь над тем, истины ли это.

— И все же я хочу попробовать.

И вот целых полгода эта женщина, которая, казалось, минутки не посидит спокойно и проявляет свои чувства так пылко и бурно, приходила ко мне по пятницам. Сын ее садился в уголке, брал листок и кисточку и тоже старался выразить своими рисунками предопределенное небесами.

Я видел, каких неимоверных усилий стоило ей сидеть неподвижно, в одной и той же позе, и спрашивал: «Неужели не можешь найти иного способа развлечься?» А она отвечала: «Я нуждаюсь в этом, мне нужно успокоить душу, и ведь я еще не научилась всему, чему ты можешь меня научить. Свет *Вершины* говорит мне, что

я должна продолжать». Я никогда не спрашивал, что это за Вершина, — какое мне до этого дело?

Прежде всего ей следовало научиться терпению, и это было труднее всего.

Каллиграфия — это не только способ выразить мысль, но и размышление о смысле каждого слова. Поскольку я не считал, что Коран будет пригоден для человека, воспитанного в другой вере, мы начали работать над текстами одного арабского поэта. Я диктовал ей по буквам, чтобы она могла сосредоточиться на том, что делает в настоящую минуту, а не пыталась сразу узнать значение слова, фразы или стиха.

— Кто-то сказал мне, что музыка сотворена Богом и быстрое движение необходимо людям, чтобы установить контакт с самими собой, — однажды сказала Афина. — На протяжении многих лет я видела, что это так и есть, а вот теперь заставляю себя делать самое трудное — замедлять шаги. Почему же терпение так важно?

— Потому что терпение учит вниманию.

— Но ведь я способна танцевать, повинуясь лишь голосу собственной души, которая понуждает меня сосредоточиться на чем-то большем, нежели я сама, и позволяет вступать в контакт с Богом, если только можно употребить здесь это слово. И танец помогал мне преобразить очень многое, включая даже собственную работу. Так вот я и спрашиваю: разве не душа — самое главное? Самое важное?

— Да, это так. Но если душа сумеет связаться, соединиться с разумом, ей под силу будут великие изменения.

Мы продолжали наши совместные труды. Я знал: настанет минута, когда надо будет сказать Афине то, что она еще не готова услышать, — и потому старался не терять времени даром, готовя ее дух. Я объяснил, что мысль возникла раньше слова. А раньше мысли была искра Божья. Все, решительно все на этом свете исполнено смысла, и самая наималейшая малость должна быть принята в расчет.

— Я научила свое тело выражать все, что испытывает душа, — сказала она.

— А теперь обучи только свои пальцы — так, чтобы ими одними выразить все ощущения твоего тела. И пусть вся твоя неимоверная сила сосредоточится в них.

— Вы — настоящий учитель.

— А что такое «учитель»? Я тебе отвечу. Это не тот, кто учит чему-либо, а тот, кто побуждает ученика выявить самое лучшее, что есть в нем, чтобы раскрыть то, что ему уже известно.

Я чувствовал, что Афине уже приходилось испытывать такое, хоть, может быть, давно, в ранней юности. Написанное выявляет личность человека, так что я узнал, что она была любима — и не только сыном, но также и родителями и — в течение какого-то времени — мужчиной. Я понял и то, что Афина наделена мистическими дарованиями, но старался, чтобы она не показывала их, ибо они могут и устроить ее встречу с Богом, но способны и погубить.

Я не ограничивался тем лишь, чтобы она овладела техникой, но пытался открыть ей философию каллиграфов.

— Перо, которым ты сейчас выводишь эти стихи, — это всего лишь орудие. У него нет своей воли, оно покорно желанию того, кто держит его в руке. И в этом его сходство с тем, что мы именуем «жизнь». Многие люди в этом мире исполняют некую роль, не сознавая, что невидимая Рука направляет их. В этот миг в твоих руках зажато перо или кисть, в которых сосредоточены все намерения твоей души. Постарайся осознать важность этого.

— Я понимаю... И еще я вижу, как важно сохранять изящество. Потому что вы требуете, чтобы я начинала писать лишь после того, как приму определенную позу и проникнусь уважением к материалу, который собираюсь использовать.

Ну а как же иначе? По тому, насколько сильно будет ее уважение к перу или кисточке, узнается, что для того, чтобы научиться писать, необходимо невозмутимое изящество. А спокойствие идет от сердца.

— Изящество — это не что-то поверхностное, а способ, который открыл человек для того, чтобы оказать уважение жизни и труду. И потому, когда ты почувствуешь, что тебе неудобно в этой позе, не думай, что она неестественна или вычурна. В том, как трудно находиться в ней, и кроется ее истинность. Она заставляет и бумагу, и перо гордиться тем, что ради них ты прилагаешь такие усилия. И бумага перестает быть просто ровной и белой поверхностью, ибо обретает глубину всего, что будет написано на ней.

Изящество — это правильная поза, которая позволит написанному быть превосходным. Не так ли и с жизнью? Отбросив все поверхностное и наносное, человек познает простоту и сосредоточенность: чем проще и чем скромнее поза, тем красивей она будет в итоге, несмотря на то, что поначалу покажется неудобной.

Время от времени Афина рассказывала мне о своей работе — о том, что все делала с воодушевлением и вот недавно получила предложение от одного могущественного эмира. Он пришел в банк не за деньгами (у эмиров для этой цели имеется множество слуг), а чтобы повидаться с приятелем, этот банк возглавлявшим. В разговоре он упомянул, что подыскивает специалиста по продаже земельных участков, и спросил, не заинтересуется ли она такой работой.

Кто захочет покупать земли посреди пустыни или порт, не находящийся в центре мира? — подумал я, но промолчал. Оглядываясь теперь назад, я доволен, что сумел тогда удержаться от замечания.

Один-единственный раз говорила она о любви к мужчине, хотя появлявшиеся у моего шатра туристы, встречая там Афину, неизменно пытались так или иначе снискать ее благосклонность. Обычно она не обращала на их заигрыванья внимания, пока один из них как-то не сказал, что знает ее возлюбленного. Афина побледнела, бросила быстрый взгляд на своего сына, который, по счастью, не прислушивался к разговору.

— Откуда?

— Да я шучу, — отвечал турист. — Просто хотел выяснить, свободна ты или нет.

Афина ничего на это не сказала, а я понял, что мужчина ее жизни и отец ее сына — разные люди.

В другой раз она пришла раньше обычного. Рассказала, что уволилась из банка и теперь продает земельные участки, так что свободного времени стало больше. Я ей объяснил, что раньше назначенного часа урок начать все равно не смогу — у меня много дел.

— Я могу соединить две вещи — движение и неподвижность. Радость и концентрацию.

С этими словами направилась к машине, взяла магнитофон. С того дня перед началом занятий она танцевала в пустыне, а мальчик носился вокруг матери. А когда та усаживалась и брала перо, рука ее была тверже, чем всегда.

— Есть два вида букв, — объяснял я. — Первые выводятся тщательно, но без души. В этом случае, какой бы превосходной техникой ни владел каллиграф, он сосредоточен только на мастерстве — и не совершенствуется. Он начнет повторяться, он остановится в своем росте, а однажды просто бросит свое занятие, ибо оно ему смертельно надоест.

Второй вид — когда есть высокая техника, но есть и душа. Для этого нужно, чтобы намерение пишущего пришло в согласие со словом: в этом случае даже самые печальные стихи уже не облекаются в одежды трагедии, но становятся простыми фактами, что встречаются нам на пути.

— А что ты будешь делать с этими рисунками? — спросил мальчик на чистейшем арабском языке. Он, хоть и не понимал наш разговор, всячески пытался принять участие в том, чем была занята его мать.

— Продам.

— А я тоже могу продавать свои рисунки?

— Не можешь, а должен. Когда-нибудь разбогатеешь на этом и будешь помогать маме.

Он остался доволен моим ответом и снова занялся тем, что делал раньше, — принялся гоняться за разноцветной бабочкой.

— А что я буду делать с моими текстами? — спросила тогда Афина.

— Ты познала усилие, потребное для того, чтобы принять правильную позу, успокоить свою душу, прояснить намерение, с уважением отнестись к каждой букве каждого слова. Практикуй все это дальше. После долгой практики поймешь, что уже не думаешь о том, какие движения делать, — все они станут частью твоего бытия. Но прежде чем прийти в такое состояние, надо снова и снова практиковать и повторять, повторять. Снова и снова. А потом опять — снова и снова.

Погляди, как хороший кузнец работает со сталью. На взгляд постороннего он повторяет одни и те же движения — бьет себе да бьет молотом. Но тот, кто искушен в искусстве каллиграфии, знает — всякий раз, как он поднимает молот, он опускает его с разной силой. Рука делает одно и то же, но совсем близко от поковки она понимает, надо ли ударить резче или мягче. Точно так же обстоит дело с повторяющимся упражнением: оно всякий раз — разное.

Придет момент, когда больше не надо будет думать о том, что делаешь. Ты сам становишься буквой, тушью, бумагой, словом.

Момент этот пришел почти через год. К этому времени Афину уже знали в Дубае, она рекомендовала многим своим клиентам поужинать в моем шатре, и благодаря им я понял, что карьеру она делает блестящую — продает куски пустыни! Однажды вечером в сопровождении многочисленной свиты появился даже сам эмир. Поначалу я растерялся от неожиданности — не ждал такого высокого гостя, — однако он успокоил меня и поблагодарил за все, что я делаю для Афины.

— Замечательный человек. И к ее редкостным качествам добавилось и то, чему вы ее научили. Я подумываю о том, чтобы выделить ей долю в компании. И о том, чтобы направить других моих сотрудников изучать каллиграфию — особенно теперь, когда Афина уезжает на месяц в отпуск.

— Каллиграфия, — ответил я, — это всего лишь один из способов, которые даровал нам Аллах, благословенно будь Его Имя. Способов научиться терпению и взвешенности суждений, уважительности и изяществу. Но всем этим можно овладеть и...

— В танце, — вставила Афина, стоявшая рядом.

— Или в продаже недвижимости, — договорил я.

Когда все уехали, а мальчик растянулся в углу шатра — глаза у него слипались, — я принес бумагу и перо и попросил Афину написать что-нибудь. Но на полуслове взял перо у нее из рук. Настал час сказать то, что следовало сказать. Я предложил ей немного пройтись.

— Ты уже научилась всему, что тебе требовалось. Твой почерк с каждым днем обретает все больше свойств и черт твоей личности. Это уже не повторение чужого, а созидание своего. Ты усвоила завет великих мастеров живописи: чтобы нарушать правила, надо сначала узнать их и научиться их соблюдать.

Ты уже не нуждаешься в инструментах, тебе больше не нужны ни бумага, ни тушь, ни перо, ибо путь — важней, чем то, что побудило тебя пуститься в путь. Однажды ты рассказала мне, что человек, научивший тебя танцевать, воображал музыку в своей голове, но даже так мог в точности повторить нужный ритм.

— Так оно и было.

— Если бы слова сливались воедино, они лишились бы смысла или страшно затруднили бы его постижение. Необходимо пустое пространство. Пробелы.

Она кивнула.

— А ты, хоть и владеешь словами, но еще не научилась управлять пробелами. Когда ты собранна, твоя рука не знает погрешностей. Но, перескакивая от слова к слову, она теряется.

— Откуда вы это узнали?

— Ответь лучше, прав ли я.

— Правы. Совершенно правы. На какие-то доли секунды, прежде чем сосредоточиться на следующем слове, я теряюсь. То, о чем я не желаю думать, упорно лезет на поверхность и пытается подчинить меня себе.

— И ты прекрасно знаешь, что это такое.

Афина знала, но не произнесла ни слова, покуда мы не вернулись в шатер. Глаза ее наполнились слезами, хотя она изо всех сил сдерживала их.

— Эмир сказал, что ты уезжаешь в отпуск.

Она открыла дверцу, села за руль, завела машину. В течение нескольких минут лишь рокот мотора оглашал тишину пустыни.

— Я знаю, о чем вы говорите, — произнесла она наконец. — Когда пишу, когда танцую, меня ведет Мать, сотворившая все сущее. Когда я гляжу на спящего Виореля, я знаю, что мой мальчик знает: он — плод моей любви к его отцу, которого я не видела уже больше года. А вот я...

Она осеклась. И молчание было подобно пробелу между словами.

— ...а вот я не знаю, чья рука качала меня в колыбели. Чья рука вписала меня в книгу мира сего.

Я лишь кивнул в знак согласия.

— Как по-вашему, это важно?

— Не всегда. Но в твоем случае — пока не дотронешься до этой руки, не сможешь улучшить... каллиграфию, скажем так.

— Не думаю, что надо искать человека, никогда не дававшего себе труда любить меня.

Она захлопнула дверцу, улыбнулась и резко рванула с места. Вопреки произнесенным ею словам, я знал, каков будет ее следующий шаг.

Самира Р. Халиль,
мать Афины

$\mathcal{M}$не казалось, что ее профессиональные достижения, ее умение зарабатывать деньги, ее новая любовь, ее радость, когда она играла с маленьким сыном, — словом, все отошло на второй план. Я была просто в ужасе, когда Шерин сообщила мне о своем решении — найти ту, кто произвел ее на свет.

Сначала я утешала себя: разумеется, никакого приюта больше не существует, личные дела давно уничтожены, чиновники окажутся непреклонны, правительство падет и границы закроют, или чрево, когда-то вынашивавшее Афину, уже давно обратилось в прах. Но этих утешений хватило ненадолго: мне ли было не знать, что для моей дочери препятствий не существует, ибо она способна на все.

До сей поры эта тема у нас в семье была под запретом. Шерин знала, что она — наша приемная дочь, ибо бейрутский психиатр посоветовал рассказать ей, когда немного подрастет, всю правду. Но она никогда не спрашивала, откуда она, из какой страны, — для нее, как и для нас с мужем, отчизной был Бейрут.

Приемный сын одной моей подруги покончил с собой в шестнадцать лет, когда у нее родилась сестра, — я помнила об этом, и потому мы с мужем больше не заводили детей и шли на любые жертвы, чтобы Шерин поняла: она — единственная причина моей любви, радости и печали, надежд и упований. И все равно она этого вроде бы не замечала. О Боже мой, как неблагодарны могут быть дети!

Я хорошо знала свою дочь и понимала, что доказывать что-либо бессмысленно. Целую неделю мы с мужем почти не спали, а утром и вечером она бомбардировала нас одним и тем же вопросом: «Как называется тот румынский город, где я родилась?» В довершение всего Виорель постоянно плакал, как будто сознавая, что происходит рядом с ним.

Я решила снова проконсультироваться с психиатром. И спросила, почему молодая женщина, у которой есть все, постоянно чувствует себя обделенной и несчастной.

— Все мы хотим знать, откуда мы, — сказал мне врач. — Это фундаментальный философский вопрос. А что касается вашей дочери, то я считаю ее интерес к своим корням вполне оправданным. Разве вас это не интересовало бы?

Нет, отвечала я. Даже наоборот: я считала бы, что это опасно — искать человека, отвергшего и бросившего меня, когда я была лишена сил, чтобы выжить.

— Вместо того чтобы противодействовать, попробуйте помочь ей, — настаивал психиатр. — Быть может, увидев, что вы не возражаете, она откажется от своей идеи. Год, проведенный вдали от всех ее близких, должен был развить в ней некий, как мы говорим, эмоциональный голод, который она пытается теперь утолить такими вот мелкими провокациями. И устраивает их с единственной целью — убедиться, что ее любят.

Лучше бы Шерин сама пошла к психиатру — тогда бы я поняла причины ее поведения.

— Демонстрируйте доверие, не рассматривайте все это как угрозу. Но если она и после этого все же захочет уехать, вам остается только смириться и сообщить ей то, о чем она просит. Насколько я понимаю, она всегда была проблемной девочкой. Как знать, может быть, эти поиски укрепят ее?

Я спросила, есть ли у психиатра дети. Он ответил: «Нет», и я поняла, что напрасно обратилась к нему за советом.

В тот же вечер, когда мы сидели у телевизора, Шерин вновь взялась за свое:

— Что вы смотрите?

— Новости.

— Зачем?

— Хотим знать, что происходит в Ливане, — ответил мой муж.

Я почувствовала подвох, однако было уже поздно. Шерин моментально воспользовалась ситуацией.

— Вот видите, вам интересно, что происходит в стране, где вы родились. Вы обвыклись в Англии, обзавелись друзьями, живете спокойно и безбедно, папа много зарабатывает здесь. И все-таки продолжаете покупать ливанские газеты, щелкаете пультом, пока не наткнетесь на какой-нибудь репортаж из Бейрута. Вы воображаете будущее исходя из своих представлений о прошлом и не отдаете себе отчета в том, что эта война не кончится никогда. Скажу иначе: теряя связь со своими корнями, вы думаете, что утратили связь с миром. Так неужели же вам трудно понять мои чувства?!

— Ты — наша дочь.

— Да. И навсегда ею останусь. Я горжусь этим. Пожалуйста, не сомневайтесь в моей любви к вам, в том, как я благодарна вам за все, что вы для меня сделали. И я прошу только одного — позвольте мне побывать на моей истинной родине. Может быть, я спрошу женщину, которая произвела меня на свет, почему она бросила меня, а может быть, и не стану, а просто взгляну ей в глаза. Если не сделаю этого, буду презирать себя за трусость и никогда не смогу постичь суть и смысл *пробела*.

— Какого пробела?

— В Дубае я изучала каллиграфию. Я танцую при всяком удобном случае. Но музыка существует лишь потому, что существуют паузы. А фразы — лишь благодаря пробелам. Занимаясь чем-нибудь, я чувствую себя полноценным человеком, но ведь никто не может действовать на протяжении двадцати четырех часов кряду. И вот, когда я останавливаюсь, остро ощущаю, что чего-то не хватает.

Вы часто говорили мне, что я с рождения отличалась беспокойным нравом. Но ведь я не выбирала себе такую манеру поведения — мне бы тоже хотелось сидеть здесь и смотреть телевизор. Однако это невозможно: мысли в голове несутся без остановки. Иногда мне кажется — я схожу с ума: я должна постоянно что-то делать — танцевать, писать, продавать земельные участки, заботиться о Виореле, читать все, что подвернется под руку. Вы считаете, что это нормально?

— Такой уж у тебя темперамент, — сказал мой муж.

На этом разговор оборвался так же, как и все предшествующие: Виорель заплакал, Шерин замкнулась в молчании, а я в очередной раз убедилась в том, до чего же неблагодарны дети по отношению к своим родителям, а ведь те столько сделали для них. Однако наутро, за кофе, прерванный разговор возобновил мой муж.

— Некоторое время назад, когда ты работала в Дубае, я побывал в Бейруте, хотел понять, нельзя ли нам вернуться на родину. Нашего дома больше не существует, но страна восстанавливается, хотя в ней стоят иностранные войска и время от времени происходят вторжения. Я так обрадовался тогда и подумал: быть может, пришло время все начать заново? И эти слова «начать заново» вернули меня к действительности: я понял, что уже миновал тот рубеж, до которого можно позволить себе такую роскошь. Теперь я хочу лишь продолжать то, что делаю, а рисковать, затевая что-нибудь новое, больше не намерен.

Я стал искать людей, с которыми когда-то общался, встречался, пил виски по вечерам. Большинства уже нет, а оставшиеся постоянно жалуются на гнетущее чувство неуверенности в завтрашнем дне. Я прошелся по знакомым местам и повсюду ощущал себя посторонним — мне там больше ничего не принадлежало. А хуже всего — то, что мечта о возвращении меркла и тускнела с каждой минутой, с каждым шагом по улицам когда-то родного города.

И все же это было необходимо. Песни изгнания продолжают звучать в моей душе, и я знаю, что никогда больше не буду жить в Бейруте. Но дни, проведенные там, помогли мне осознать, где я нахожусь ныне, и оценить каждую секунду, проведенную в Лондоне.

— Что ты хочешь мне этим сказать?

— Что ты права. Быть может, и в самом деле стоит понять смысл пробелов. Отправляйся, мы присмотрим за Виорелем.

Он ушел к себе в кабинет и вернулся, держа в руках желтоватую папку, где хранились документы об удочерении, — и протянул ее Шерин. Потом поцеловал ее и сказал, что ему пора на службу.

Хирон Райан,
журналист

$\mathcal{B}$ то утро 90-го года из окна моего номера на шестом этаже отеля я мог видеть лишь здание правительства. На крыше только что подняли государственный флаг, указывая точное место, откуда на вертолете бежал страдающий манией величия диктатор, которому спустя несколько часов предстояло принять смерть от руки тех, кого он угнетал двадцать два года.

Дома старой постройки были снесены по приказу Чаушеску — он мечтал выстроить новую столицу, способную соперничать с Вашингтоном. Бухарест мог бы гордиться званием города, подвергшегося наибольшим разрушениям, не связанным с военными действиями или природной катастрофой.

В день приезда я в сопровождении переводчика предпринял было прогулку по улицам румынской столицы, но не увидел ничего, кроме нищеты и растерянности. У меня возникло стойкое ощущение, что здесь нет ни будущего, ни прошлого, ни настоящего, а люди живут словно бы в некоем подобии лимба, не зная толком, что происходит в их стране и в остальном мире. Десять лет спустя, вернувшись туда и увидев страну, восставшую из пепла, я понял, что человек способен преодолеть любые трудности — и румынский народ дал прекрасное тому доказательство.

Но в то серое утро, стоя в сером холле убогого отеля, я беспокоился лишь о том, сумеет ли переводчик раздобыть автомобиль и достаточный запас бензина, чтобы можно было продолжить сбор материала для документального фильма, заказанного мне Би-би-си. Переводчик задерживался, и я пребывал в сомнениях: уж не придется ли возвращаться в Англию ни с чем? А ведь я уже вложил немалые деньги в контракты с историками, в сценарий, в съемки нескольких интервью. Однако телекомпания, прежде чем подписать окончательный договор, требовала, чтобы я отправился в некий замок и сам убедился, в каком состоянии он находится. Путешествие грозило обойтись куда дороже, нежели я предполагал.

Попытался дозвониться моей подруге — телефонистка сообщила, что ждать соединения придется не меньше часа. Переводчик с машиной мог появиться с минуты на минуту, времени терять было нельзя, и я решил не рисковать.

Попытался найти какую-нибудь газету на английском — тщетно. Чтобы скрасить ожидание, принялся разглядывать — как можно более незаметно — людей, пивших чай в холле и, вероятно, не имевших никакого отношения к тому, что происходило здесь в прошлом году, когда начались народные восстания, когда хладнокровно убивали мирных жителей Тимишоара, когда шли уличные бои с грозной «секуритате», отчаянно пытавшейся удержать ускользающую власть. Я заметил троих американцев, весьма привлекательную женщину, которая, впрочем, не отрывалась от журнала мод, и целую группу людей, сидевших за столом и громко переговаривавшихся на неведомом мне наречии.

Я уж собирался было в тысячный раз подойти к дверям отеля и выглянуть наружу — нет ли моего переводчика, — когда вошла она. Мне показалось, что ей — лет двадцать (*Афине было 23 года, когда она поехала в Румынию. — Прим. ред.*). Она села за столик, заказала себе что-то на завтрак, и я услышал английскую речь. Никто из мужчин не обратил внимания на вошедшую, а вот дама, листавшая журнал мод, подняла голову.

То ли от снедавшего меня беспокойства, то ли от тоски, которую наводил на меня этот отель, я набрался смелости и подошел к столику этой девушки — чего обычно не делаю, — обратившись к ней с каким-то ничего не значащим замечанием.

Она улыбнулась, назвала свое имя — и я насторожился. Проститутка? Но она говорила по-английски без малейшего акцента и была скромно одета. Я решил ни о чем не расспрашивать и стал говорить о себе, причем заметил, что женщина за соседним столом отложила журнал и внимательно прислушивается.

— Я — независимый тележурналист, сейчас работаю на Би-би-си и вот пытаюсь понять, как бы мне добраться до Трансильвании...

При этих словах глаза ее блеснули.

— ...чтобы собрать материал для фильма о вампире, — договорил я и выждал, зная, что это всегда пробуждает в людях любопытство. Однако здесь произошло обратное: едва лишь я упомянул о цели поездки, искра интереса в ее глазах погасла.

— Сядьте в автобус, только и всего, — ответила она. — Хоть я и не верю, что найдете то, что ищете. А хотите побольше узнать о Дракуле — почитайте книжку. Автор, впрочем, никогда не бывал там, куда вы собрались.

— А вы-то бывали в Трансильвании?

— Не знаю...

Но это не было ответом: возможно, она, хоть и говорила как настоящая англичанка, просто не нашла нужных слов.

— ...но направляюсь как раз туда. На автобусе, разумеется.

По одежде ее трудно было принять за искательницу приключений, которая колесит по свету в поисках экзотических мест. Я вновь подумал о том, не проститутка ли она, — быть может, это лишь способ заинтриговать меня.

— Может быть, вас подвезти?

— Я уже взяла билет.

Но я продолжал уговаривать ее, думая, что это — всего лишь кокетство. Она не соглашалась, твердя, что хочет путешествовать в одиночку. Тогда я спросил, откуда она родом, и заметил, как она замялась, прежде чем ответить:

— Из Трансильвании, я же сказала.

— Вы не совсем так сказали. Но, как бы то ни было, смогли бы помочь мне в выборе натуры для съемок.

Внутренний голос шептал мне, что отступать нельзя — надо попытаться еще раз: я решил, что все же имею дело с проституткой, и мне очень бы хотелось заполучить такую спутницу. Однако вежливо, но твердо она отклонила мое предложение. Тут с ней заговорила женщина, сидевшая за соседним столиком, причем мне показалось — с целью защитить мою собеседницу. Настаивать было неудобно, и я отступился.

Вскоре появился запыхавшийся переводчик и сообщил, что все улажено, но обойдется несколько дороже, чем предполагалось. (Кто бы сомневался!) Поднялся в свой номер, взял загодя собранный чемодан, сел в русский, разваливающийся на кусочки автомобиль, и двинулся по широким проспектам, где почти не было уличного движения, везя с собой маленький фотоаппарат, вещи, заботы, бутылки с минеральной водой, сэндвичи — и неотступно преследующий меня образ.

В последующие дни, пока я пытался сочинить сценарий о Дракуле как о реальном историческом персонаже и брал интервью у местных крестьян и интеллигентов по поводу этого мифа (толку от этих бесед, как я и предполагал, было мало), меня вдруг осенило: я не только и не столько пытаюсь смастерить документальный фильм для британского телевидения, сколько мечтаю о новой встрече с девушкой — высокомерной, неприветливой, каждым словом и жестом заявляющей о собственной самодостаточности, — которую встретил в ресторане бухарестского отеля. Она должна сейчас быть здесь, рядом со мной. Я не знал о ней совершенно ничего — ничего, кроме имени, — но, подобно вампиру, она высасывала из меня всю энергию.

Чушь какая-то, полная бессмыслица, нечто такое, что недопустимо и невозможно в моем мире и в мире тех, кто рядом со мной.

Дейдра О'Нил,
она же Эдда

— *Не* знаю, что вы будете делать здесь. Но что бы ни делали, должны идти до конца.

Она взглянула на меня удивленно:

— Кто вы такая?

Тогда я заговорила о женском журнале, лежавшем передо мной, и мужчина за соседним столиком, выждав немного, поднялся и вышел. Теперь я могла сказать, кто я.

— Если вас интересует моя профессия, то несколько лет назад я окончила медицинский факультет. Но едва ли вы хотели получить такой ответ.

И, помолчав, добавила:

— И следующий ваш шаг — попытаться искусно поставленными вопросами понять, что я здесь делаю, — здесь, в стране, только что вынырнувшей из-под многолетнего свинцового гнета.

— Да нет, я спрошу прямо: что вы здесь делаете?

Я могла бы сказать, что приехала на похороны моего учителя, ибо считаю, что он достоин этого. Но говорить об этом было бы неблагоразумно: хотя она не проявила ни малейшего интереса к вампирам, само слово «учитель» может привлечь ее внимание. А поскольку я была скована клятвой не лгать, то ответила полуправдой:

— Хочу увидеть дом, где жил писатель Мирча Элиаде, про которого вы, должно быть, и не слыхали. Он провел большую часть жизни во Франции и был мировым авторитетом в области мифологии.

Девушка взглянула на часы, делая вид, что мои слова ее не интересуют.

— И речь не о вампирах. А о людях, которые... ну, скажем, идут тем же путем, что и вы.

Она потянулась за своей чашкой, но на полдороге рука ее замерла.

— Вы что — представительница властей? Или мои родители поручили вам следить за мной?

Тут уж я подумала, не прекратить ли на этом разговор, — ее агрессивность производила странное впечатление. Однако я видела ее ауру и ее тоску. Она была очень похожа на меня в ее годы. Душевные раны в свое время подвигли меня на изучение медицины, чтобы исцелять людей физически и помогать им выйти на верную дорогу в плане духовном. Я хотела сказать: «Твои раны помогут тебе, девочка», потом взять журнал и уйти прочь.

Поступи я так, Афина, быть может, избрала бы себе иную стезю и осталась жива — была бы рядом с тем, кого любила, растила бы сына, потом нянчила бы внуков. Разбогатела бы, быть может, стала владелицей компании по продаже недвижимости. У нее было все,

все решительно, для того, чтобы преуспеть: она познала страдания в той мере, чтобы суметь использовать душевные шрамы в свою пользу, а чтобы унять вечное душевное беспокойство и двигаться дальше, требовалось лишь время — и ничего больше.

Так что же удержало меня за столиком и заставило продолжить разговор? Ответ прост — любопытство. Я не могла понять, почему этот блистающий свет вдруг замерцал здесь, в холодном холле бухарестского отеля.

И продолжала:

— Мирча Элиаде писал книги со странными названиями: «Ведовство и культурные течения», например, или «Священное и мирское». Мой учитель... — эти слова вырвались у меня против воли, но она не услышала или сделала вид, что не заметила, — ...очень ценил его творчество. А мне что-то подсказывает, что и вам этот предмет небезразличен.

Она снова взглянула на часы.

— Мой автобус отправляется через час. Я еду в Сибиу. Постараюсь разыскать там мою мать — если вы об этом спрашиваете. Я работаю в риэлтерской фирме на Ближнем Востоке, у меня четырехлетний сын. Разведена. Родители живут в Лондоне. Приемные родители, разумеется. Я — подкидыш.

Она и в самом деле достигла очень высокой стадии восприятия — настолько, что отождествляла себя со мной, хоть и не отдавала себе в этом отчета.

— Да, именно это я и хотела знать.

— А стоило ли ехать в такую даль, чтобы изучить творчество какого-то писателя? Разве там, где вы живете, нет библиотек?

— В сущности, он жил в Румынии, пока не окончил университет. Если бы я хотела собрать сведения о его творчестве, то отправилась бы в Париж, Лондон или Чикаго, где он умер. Так что мою поездку никак нельзя назвать изучением творчества — просто я хочу увидеть камни, по которым ступала его нога. Хочу почувствовать, что же вдохновляло его творчество — а оно очень сильно воздействовало на мою жизнь и на жизнь тех, кого я уважаю.

— Он писал и о медицине тоже?

Лучше не отвечать. Теперь я поняла, что слово «учитель» не осталось незамеченным, но девушка истолковала его в смысле профессиональном.

Она поднялась. Думаю, почувствовала, о чем я говорю на самом деле, — я видела, как исходящий от нее свет разгорается ярче. Впасть в такое состояние мне удается, лишь когда я нахожусь рядом с теми, кто очень похож на меня.

— Вас не затруднит проводить меня до станции? — спросила она.

Ни в малейшей степени. Мой самолет вылетает только вечером, и впереди еще целый день — нескончаемый и тоскливый. По крайней мере, хоть будет с кем поговорить немного.

Она вышла и вскоре вернулась — с чемоданами в руках и с ворохом вопросов на устах. Задавать их она начала еще до того, как мы покинули отель:

— Возможно, я вас больше никогда не увижу. Но чувствую, что между нами есть что-то общее. И поскольку сейчас — единственная возможность побеседовать в этом воплощении, пожалуйста, будьте со мной искренни.

Я кивнула в знак согласия.

— Раз уж вы читали эти книги, скажите — вы верите, что благодаря танцу мы можем впадать в транс и видеть некий свет? Свет, который ничего не откроет нам, если только мы не печальны или же счастливы?

Вопрос по существу!

— Разумеется. Но не только танец; все, на чем нам удается сосредоточить внимание, позволяет разделить дух и плоть. Йога, или молитва, или буддийская медитация.

— Или каллиграфия.

— Об этом я никогда не думала, но вполне вероятно. В те мгновения, когда тело высвобождает душу, та воспаряет в поднебесье или низвергается в преисподнюю — в зависимости от того, в каком состоянии пребывает человек. Там она овладевает нужным ей навыком — уничтожать ближнего своего или исцелять его. Но мне уже не интересно в одиночку ходить по этим путям, я теперь нуждаюсь в помощи... вы слушаете меня?

— Нет.

Я увидела — она остановилась и смотрит на маленькую девочку, оказавшуюся в одиночестве посреди улицы. Потом полезла в карман.

— Не делайте этого! — воскликнула я. — Глядите — на той стороне стоит женщина... У нее нехорошие глаза. Она специально оставила ребенка, чтобы...

— Меня это не интересует.

С этими словами она вытащила из кармана несколько монет. Я удержала ее руку.

— Давайте предложим ей поесть. Лучше будет.

Я позвала девочку за собой в ближайший бар, купила там сэндвич и протянула ей. Девочка улыбнулась, поблагодарила, а в глазах женщины, издали наблюдавшей за нами, блеснул огонек ненависти. Но серые глаза девушки, стоявшей рядом со мной, выразили уважительное одобрение моему поступку.

— Так что вы говорили?

— Это не важно. Знаете, что случилось несколько минут назад? Вы сумели войти в транс — и безо всяких танцев.

— Вы ошибаетесь.

— Я уверена. Что-то тронуло ваше бессознательное: быть может, вы увидели на месте этой девочки самое себя и представили, как сложилась бы ваша жизнь, если бы вас не удочерили. В этот миг ваш мозг перестал реагировать. А дух ринулся в бездны ада, встретился там с демонами вашего прошлого. Потому вы и не заметили женщину на той стороне улицы — вы были в трансе. В хаотическом, дезорганизованном трансе, побуждавшем вас сделать что-то хорошее — теоретически хорошее, но абсолютно бессмысленное практически. Вы словно бы находились...

— В пустом пространстве между буквами. В том кратком промежутке, когда одна нота уже смолкла, а другая еще не зазвучала.

— Совершенно верно. А транс, в который впадаешь таким образом, может быть опасен.

Я чуть было не добавила: «Этот вид транса вызывается страхом: он парализует человека, его тело перестает реагировать, а душа отлетает. Вы ужаснулись тому, что могло бы произойти, если бы судьба не поместила ваших родителей на этом пути». Но она опустила чемоданы наземь и взглянула мне прямо в глаза:

— Кто вы? Зачем говорите мне все это?

— Мои коллеги-врачи и мои пациенты знают меня под именем Дейдры О'Нил. Очень приятно. А вас как зовут?

— Афина. А по паспорту — Шерин Халиль.

— Кто дал вам это имя?

— Кто бы ни дал, это не важно. Но я не спрашивала, как вас зовут. Я хотела знать, кто вы. И почему подошли ко мне. И почему я ощутила такую же необходимость говорить с вами. Может быть, оттого, что, кроме нас, в гостиничном кафе не было других женщин? Нет, не верю! И потом вы говорите какие-то очень важные для меня вещи.

Она вновь подняла чемоданы, и мы двинулись к автовокзалу.

— У меня тоже есть второе имя. Эдда. Но я получила его не случайно. И не случай свел нас вместе.

Перед нами возникло здание автовокзала. Входили и выходили люди — военные, крестьяне, красивые женщины, одетые по моде пятидесятилетней давности.

— Если не случай, то что?

До отправления ее автобуса оставалось еще полчаса, так что я могла ответить. Не «что», а «кто». *Мать*. Избранные души излучают особый свет, и потому они должны встретиться, и ты — Шерин, или Афина, — одна из них, но должна много работать, чтобы употребить эту энергию во благо.

Я могла бы объяснить, что следую стезей классической ведьмы, которая через свою собственную личность отыскивает связь с нижним миром и миром верхним, но в конце концов непременно разрушает собственную жизнь. Она служит другим, отдает энергию и никогда не получает ее назад.

Я могла бы объяснить, что, хотя каждый идет своей дорогой, непременно наступает такой этап, когда люди объединяются, вместе празднуют, сообща обсуждают свои трудности и готовят себя к Возрождению Матери. Что связь с Божественным Светом — это величайшее событие в жизни смертного человека, но связь эту не осуществить в одиночку, потому что годы и столетия преследований научили нас многому.

— Вы не хотите выпить кофе, пока ждем автобус?

Я не хотела. Я собиралась договорить, хоть и знала, что сказанное мною сейчас будет истолковано неправильно.

— Есть люди, сыгравшие важную роль в моей жизни, — сказала она. — Хозяин моей квартиры, например. Или каллиграф, с которым я познакомилась в пустыне близ Дубая. Быть может, то, что вы говорите мне, я смогу разделить с ними — и так вознаградить их за науку.

Так, значит, в ее жизни уже были учителя — прекрасно! Ее дух созрел. Значит, нужно лишь продолжить ее обучение — иначе она в конце концов потеряет все, что приобрела. Но тот ли я человек, что указан ей судьбой?

За долю секунды я попросила Мать осенить меня вдохновением или хоть что-нибудь сказать. Ответа не последовало, и это меня не удивило: Она всегда поступала так, когда мне надо было принять ответственное решение.

Протянув девушке визитку, я попросила, чтобы она дала мне свою. Афина продиктовала мне адрес в Дубае, а я даже не знала, где это.

Я решила пошутить, а заодно — и испытать ее:

— Трое англичан встретились в бухарестском баре... Забавное совпадение, не правда ли?

— Судя по тому, что написано на вашей визитке, вы — из Шотландии. А тот молодой человек работает в Англии, но я ничего о нем не знаю, — ответила она.

И с глубоким вздохом добавила:

— А я... румынка.

Тут я объяснила, что мне надо поскорее вернуться в отель и упаковать чемоданы.

Теперь она знала, где меня найти, и если это предначертано, то мы увидимся снова. Нельзя препятствовать судьбе вмешиваться в течение жизни и решать, что́ будет лучше для всех.

Вошо «Бушало»,

65 лет, владелец ресторана

Эти европейцы приезжают к нам, считая, что бога за бороду держат, а потому заслуживают самого лучшего обращения, имеют право засыпать нас вопросами, а мы обязаны на них отвечать. А с другой стороны, называя нас «кочевым народом», или «роми», или еще как-нибудь позаковыристей, думают, что исправляют ошибки, совершенные ими в прошлом.

Почему не называют нас по-прежнему цыганами и пытаются покончить с легендами, из-за которых мы в глазах всего мира выглядим прóклятым племенем? О нас говорят, будто мы — плод беззаконной связи женщины с самим дьяволом. Нас обвиняют в том, что один из нас выковал те самые гвозди, которыми пронзили ладони и ступни Иисуса на кресте, что мы крадем маленьких детей, а потому, когда наш табор показывается в окрестностях, матерям надо смотреть в оба.

Из-за этого нас гнали и преследовали. В Средние века жгли на кострах вместе с ведьмами и колдунами, и несколько столетий кряду в Германии нас не допускали в суды в качестве свидетелей. Я уже появился на свет, когда задул над Европой ветер нацизма, и моего отца, нашив ему на грудь унизительный черный треугольник, отправили в концлагерь, находившийся где-то в Польше. Из полумиллиона цыган, занятых рабским трудом, выжило лишь пять тысяч. Чтобы рассказать об этом.

Но никто не желал их слушать.

В этом богом забытом краю, где решила обосноваться большая часть наших племен, наша культура, наш язык и наша вера были под запретом. Если спросить любого местного жителя, что он думает о цыганах, он, не задумываясь, ответит: «Все они воры». Как мы ни стараемся вести нормальный образ жизни, бросив наше извечное кочевье и поселившись там, где нас легко распознать, расизм жив по-прежнему. Моих детей в школе сажают только на задние парты, и не проходит дня, чтобы нас кто-нибудь не оскорбил.

А потом еще жалуются, что мы не отвечаем на вопросы прямо, что скрытны и уклончивы, что никогда не обсуждаем свое происхождение. А для чего? — Всякий и так может отличить цыгана, всякий знает, как «защититься» от наших «злых чар».

И когда появилась эта юная интеллектуалка и с улыбкой стала говорить, что принадлежит к нашему народу и к нашей культуре, я сразу насторожился. Она вполне могла оказаться агентом «секуритате», тайной полиции этого полоумного диктатора, «Гения Карпат», вождя нации. Говорили, правда, будто его судили и расстреляли, но я не верю, и сын его сохранил власть в нашем краю, хоть сейчас и исчез куда-то.

Но приезжая настаивает и с улыбкой — словно говорит о чем-то очень забавном — утверждает, что ее мать — цыганка и что она бы хотела найти ее. И она знает ее полное имя, а разве смогла бы она раздобыть такие сведения без помощи тайной полиции?!

Так что лучше не раздражать понапрасну людей, у которых есть такие высокие связи с властями. Отвечаю, что ничего не знаю, что я — всего-навсего простой цыган, который решил вести честную жизнь, однако она упрямо твердит свое: хочу найти мать. Мне известна эта женщина, мне известно, что лет двадцать с лишним назад она родила ребенка, которого сразу сдала в приют, а больше — ничего. Мы были вынуждены принять ее в свою среду из-за того кузнеца, что считал себя полновластным хозяином жизни и повелителем мира. Но кто поручится, что эта девушка, употребляющая всякие ученые слова, — и есть дочь Лилианы? Прежде чем разыскивать следы своей матери, могла бы сперва проявить уважение к нашим обычаям и не надевать красное — она ведь не замуж выходит. И носить юбку подлиннее, чтобы не прельщать мужчин.

Если я сегодня говорю о ней в настоящем времени, то это оттого, что для нашего странствующего народа времени вообще не существует, а есть только пространство. Мы пришли издалека: кто говорит — из Индии, кто уверяет, будто корни наши — в Египте, но так или иначе тащим прошлое за собой, словно случилось оно только что. А гонения еще продолжаются.

Девушка хочет мне понравиться, показывает, что знает нашу культуру, да только это не имеет никакого значения — важно лишь знать наши обычаи.

— В городе мне сказали, что вы — «цыганский барон», глава рода. Прежде чем прийти сюда, я много читала о нашей истории...

— Пожалуйста, не надо говорить «нашей». Это — моя история, моя и моей жены, моих детей и внуков, моего племени. А вы — другая. В вас никогда не швыряли камнями на улицах, как в меня, пятилетнего мальчишку.

— Но, мне кажется, сейчас многое изменилось к лучшему...

— Все всегда меняется к лучшему, чтобы потом измениться к худшему.

Однако она продолжает улыбаться. И заказывает себе виски, а наши женщины никогда так не делают.

Если бы она зашла сюда выпить или с кем-нибудь познакомиться, то я бы отнесся к ней как к клиентке. Я научился быть внимательным, учтивым, элегантным, потому что этого требует мое ремесло. Когда посетители хотят побольше узнать о цыганах, я рассказываю им кое-какие занимательные истории, предупреждаю, что скоро начнут играть музыканты, сообщаю две-три подробности нашего уклада и быта, и они уходят с полнейшим ощущением того, что теперь про цыган им известно решительно все.

Но эта девушка — не туристка; она уверяет, что такая же, как мы.

Вот она снова протягивает мне официальную бумагу — свидетельство о рождении. Я знаю, что государство убивает, грабит, лжет, но пока еще не рискует подделывать документы, а потому она и в самом деле — дочь Лилианы, ибо в бумаге черным по белому написано ее полное имя и место рождения. По телевизору однажды сказали, что Гений Карпат, Отец Народа, Великий Вождь, тот самый, кто заставлял нас голодать, вывозя за границу все, что можно, тот самый, кто в своих дворцах ел на золоте, покуда народ умирал от истощения, так вот, этот самый человек на пару со своей женой, будь она проклята, приказывал своей охранке отбирать в сиротских приютах детей, из которых государство готовило наемных убийц.

Брали только мальчиков, девочек оставляли. Быть может, эта — одна из них.

Я снова гляжу в свидетельство, раздумывая, сообщить ли, где находится сейчас ее мать, или нет. Лилиана заслуживает встречи с этой юной интеллектуалкой, Лилиана заслуживает того, чтобы взглянуть на нее: я считаю, что она уже все получила сполна за то, что предала свой народ и опозорила родителей, отдавшись чужаку. Быть может, пора прекратить пытку, ибо ее дочь выжила и, судя по всему, недурно устроилась в жизни — настолько, что сумеет даже вытащить мать из нищеты.

Быть может, и мне перепадет что-нибудь за эти сведения. А в будущем — и наше племя тоже получит какие-нибудь блага, ибо живем мы в смутные времена, когда все уверяют, что Гений Карпат убит, и даже показывают пленку, на которой заснят его расстрел, но совершенно не исключено, что завтра он возьмет да воскреснет, и выяснится, что это все — инсценировка, а просто он хотел проверить, кто на самом деле ему предан, а кто — готов предать.

Скоро придут музыканты, так что пора потолковать о деле.

— Я знаю, где находится эта женщина. И могу отвезти вас к ней.

Теперь я тоже говорил мягко и дружелюбно.

— Но, как мне кажется, эти сведения кое-чего стоят...

— Я готова заплатить, — ответила она, протягивая мне куда большую сумму, нежели я предполагал.

— Да этого и на такси не хватит.

— Получите столько же, когда я достигну цели.

Но я чувствую, что прозвучало это неуверенно. Похоже, она слегка опасается дальнейшего развития событий. Я сразу беру деньги, положенные на стойку.

— Завтра отвезу вас к Лилиане.

Руки у нее дрожат. Она просит еще порцию виски, но в этот миг в бар входит какой-то мужчина и она устремляется к нему. Я понимаю, что знакомы они совсем недавно — быть может, лишь со вчерашнего дня, — но разговаривают как старые друзья. В глазах у него — неприкрытое желание. Она прекрасно сознает это, но разжигает его еще больше. Мужчина заказывает бутылку вина, они садятся за стол, и кажется, будто история с матерью предана забвению.

Но я хочу получить оставшуюся половину денег. И, подавая им вино, спрашиваю, в каком отеле она остановилась. Обещаю завтра в десять утра быть у нее.

Хирон Райан,

журналист

*Е*два пригубив первый бокал вина, она сообщила — хотя я ни о чем, разумеется, не спрашивал, — что у нее есть друг, сотрудник Скотланд-Ярда. И, разумеется, это была ложь: просто она заметила выражение моих глаз и попыталась отдалить меня.

Тогда я ответил, что и у меня имеется возлюбленная. Стало быть, счет стал равным.

Через десять минут после того, как заиграла музыка, она поднялась. До этого разговаривали мы мало и только на самые общие темы — делились впечатлениями о Бухаресте, сетовали на ужасающие дороги. О моих разысканиях не было сказано ни слова. Но стоило лишь ей встать, как передо мной — и всеми, кто в эту минуту находился в ресторане, — возникла богиня во всей славе своей, жрица, заклинающая ангелов и бесов.

Глаза ее были закрыты, и Афина, словно не сознавая, где она, кто она, чего ищет в мире, парила в воздухе, вызывая со дна лет прошлое, выявляя настоящее, открывая и провидя грядущее. В ее танце причудливо перемешивались чувственный накал и чистейшее целомудрие, разнузданность и откровение, гимн Богу и природе одновременно.

Посетители замерли над своими тарелками, глядя на этот танец. Теперь уже не она двигалась в такт музыке, а музыканты старались следовать ее движениям, и ресторанчик в подвале старинного дома на одной из улиц Сибиу превратился в египетский храм, где приверженцы культа Исиды отправляют свои таинства. Запах вина и жареного мяса сменился благовонием, вводившим всех нас в транс, и всем нам в тот миг довелось испытать, каково это — покинуть этот мир и войти в новое, неведомое измерение.

Гитары и труба смолкли, слышались только ритмичные звуки ударных. Афина продолжала танец — так, словно ее уже не было здесь, среди нас: на лбу проступила испарина, босые пятки с силой ударяли в деревянный пол. Какая-то женщина поднялась со своего места и бережно завязала косынку на шее танцовщицы — и вовремя, потому что ее блуза грозила вот-вот сползти с плеча, обнажив грудь. Но Афина словно и не заметила этого, ибо пребывала в иных сферах, пересекала границы тех миров, что почти соприкасаются с нашим, но никогда не дают обнаружить себя.

Посетители начали хлопать в ладоши в такт музыке, и Афина, будто черпая энергию из этих ритмичных рукоплесканий, ускорила движения, кружась и кружась, удерживая равновесие в пустоте, и словно бы выхватывая все, что мы, простые смертные, могли предложить верховному божеству.

И вдруг замерла на месте. И все остановились, включая музыкантов. Глаза ее были по-прежнему закрыты, но по щекам катились слезы. Воздев руки к небесам, она закричала:

— Когда умру, заройте меня в землю стоймя — я и так всю жизнь провела на коленях!

Все молчали. Афина открыла глаза, словно очнувшись от глубокого сна, и, как ни в чем не бывало, направилась к столу. Снова заиграл оркестр, танцевальную площадку заполнили несколько пар, но веселья не получилось — обстановка в ресторане изменилась разительно, и вскоре посетители один за другим начали расплачиваться и покидать заведение.

— Как ты себя чувствуешь? — спросил я, когда она отдышалась.

— Мне страшно. Я вдруг поняла, как можно попасть в то место, куда попадать не хочу.

— Хочешь, я провожу тебя?

Она качнула головой. Но все же спросила, в каком отеле я остановился. Я ответил.

За несколько следующих дней я завершил сбор материалов для фильма, отправил в Бухарест переводчика вместе с арендованной машиной, а сам остался в Сибиу — ради того лишь, чтобы снова увидеть Афину. Хотя я всегда руководствуюсь логикой и считаю, что любовь можно выстроить, а не только встретить, мне было понятно: если я больше ее не увижу, какая-то очень важная частица моей жизни навсегда сгинет в этом трансильванском захолустье. Я как мог сопротивлялся засасывающей монотонности: не раз ходил на автовокзал проверять расписание автобусов до Бухареста, потратил на телефонные разговоры с редакцией Би-би-си и с моей подругой куда больше, чем позволяло мое скромное жалованье. Объяснял, что материал еще не готов, что я должен задержаться здесь — может, на день, а может, и на неделю, — что с местными трудно иметь дело: они принимают слишком близко к сердцу, когда их милую Трансильванию пытаются представить отчизной кровавого монстра Дракулы. В конце концов мне удалось убедить продюсеров, и мне разрешили пробыть здесь, сколько будет нужно.

Мы жили с ней в одном отеле, благо он был в городе единственным, и вот однажды она появилась в холле: вероятно, ей тоже запомнилась наша первая встреча. На этот раз она сама предложила мне пойти куда-нибудь, и я едва сумел скрыть ликование. Быть может, и я что-то значу для нее.

Лишь много позже я узнал, что так поразившая меня фраза, которую произнесла она, окончив свой танец, — это старинная цыганская поговорка.

Лилиана,
швея, возраст и фамилия неизвестны

Я говорю в настоящем времени, ибо для нас времени вообще не существует — есть только пространство. И потому кажется, будто все минувшее случилось только вчера.

Один-единственный раз я нарушила закон нашего племени, который велит, чтобы в миг появления ребенка на свет отец его находился рядом с роженицей. Но повитухи все же пришли, хоть и знали, что я забеременела не от цыгана. Пришли, распустили мне волосы, перерезали пуповину, завязали на ней несколько узлов, передали мне младенца. Обычай велит завернуть ребенка в одежду отца, а мне от него осталась только простыня, еще хранившая его запах, и порой я подносила ее к лицу, чтобы вновь почувствовать его. Теперь этому едва уловимому аромату суждено будет исчезнуть.

И завернув новорожденную в простыню, я положила ее прямо на пол — чтобы восприняла энергию Земли. И села рядом, не зная, что чувствовать, о чем думать, ибо решение уже было принято.

Мне сказали — выбери ребенку имя, но никому его не называй, произнести его можно будет лишь после того, как окрестят. Дали мне освященного елея и амулеты, которые через две недели надо будет повесить девочке на шею. Одна из повитух сказала, чтобы я ни о чем не тревожилась: весь табор будет заботиться о новорожденной, и чтобы не обращала внимания на толки и пересуды — они скоро прекратятся. Еще посоветовали не выходить на улицу от заката до восхода, потому что могут напасть *цинвари* — злые духи — и принести беду.

Через неделю, ранним утром, когда только рассвело, я пошла в детский приют в Сибиу и положила ребенка на пороге, ожидая, когда чьи-нибудь милосердные руки возьмут его. В этот миг нянька схватила меня за руку и втащила внутрь. Она оскорбляла меня, как только могла, твердя, что видеть такое им не впервой, время от времени случается, но что мне не удастся так просто избавиться от ребенка: принесла его в мир — изволь отвечать.

— Хотя чего и ждать от цыганки...

Меня заставили заполнить какую-то бумагу со множеством граф, а поскольку я писать не умею, это сделали за меня, повторяя: «Конечно, чего и ждать от цыганки... Не вздумай нас обмануть, не то отправим в тюрьму». Я испугалась и врать не стала — продиктовала все как есть.

И поглядела на дочку в последний раз, а подумать удалось только об одном: «Девочка без имени, дай тебе Бог обрести в жизни любовь, много любви».

А потом ушла и несколько часов брела по лесу. Вспоминала, как вынашивала дитя, как ненавидела его и любила — и его, и мужчину, от которого понесла.

Как и всякая девушка, я мечтала встретить сказочного принца, выйти за него замуж, заполнить свой дом детьми. И, как большинство подобных мне, влюбилась в человека, который не мог дать мне ничего, однако же я пережила с ним незабываемые мгновения. Моему ребенку не дано будет их понять — он навсегда останется в нашем племени безотцовщиной, и клеймо *чужака* будет гореть на нем до могилы. И я не хотела, чтоб мое дитя прошло через те же мучения, что выпали на мою долю с той минуты, как я узнала о своей беременности.

...Я рыдала и царапала себе лицо, надеясь, что боль прогонит мысли и заставит меня вернуться к жизни и к тому позору, что ждал меня в таборе. Кто-нибудь вырастит ее, а я буду жить с надеждой на встречу.

Я опустилась наземь, вцепясь в дерево и не в силах унять слезы. Но вдруг, когда слезы и кровь достигли ствола, странное спокойствие осенило меня. Как будто некий голос шепнул мне: «Ни о чем не тревожься, твои слезы, твоя кровь омыли путь твоей дочери». С тех пор всякий раз, как я впадала в отчаянье, мне слышался этот голос, и страдание переставало когтить мою душу.

И потому я не удивилась, когда наш барон привез ее — попросил кофе, насмешливо улыбнулся и уехал обратно. Голос шептал мне, что я увижу свою дочь, — и вот она стоит передо мной. Красивая, похожа на отца, и я не знаю, чтó она чувствует ко мне — может быть, ненависть за то, что я бросила ее. Я не стану объяснять, что побудило меня сделать это, — все равно никто в мире не сможет понять.

Кажется, что мы уже целую вечность стоим и смотрим друг на друга, не произнося ни слова, — не плачем, не смеемся, только смотрим. И я не знаю, интересно ли ей, что я чувствую сейчас.

— Хочешь есть?

Инстинкт. Инстинкт возникает первым, предваряя все прочее. Она кивает в ответ. Мы входим в маленькую комнату — она служит мне разом и спальней, и кухней, и мастерской. Дочь недоуменно оглядывается по сторонам, а я, притворяясь, что не замечаю этого, наливаю две тарелки густой похлебки, заправленной зеленью и салом. Потом готовлю крепкий кофе, а когда хочу положить сахару, раздаются ее первые слова:

— Мне без сахара. Я не знала, что ты говоришь по-английски.

Я хотела было ответить: «Спасибо твоему отцу», но сдержалась. Трапеза наша проходит в молчании, и постепенно мне начинает казаться, будто в этом нет ничего особенного: да, я обедаю вдвоем с дочерью, она много ездила по свету, а теперь вернулась, познала десятки дорог, но выбрала ту, что ведет к дому. Я знаю — это всего лишь иллюзия, но в жизни моей было столько суровой правды, отчего бы немножко не потешиться вымыслом?

— Кто эта святая? — показывает дочь на картину на стене.

— Святая Сара, покровительница цыган. Все хотела посетить ее церковь во Франции, но отсюда так просто не выбраться... Нужен паспорт, разрешение...

«...а кроме того, деньги» — хотела сказать я и осеклась. Дочь может подумать, будто я прошу у нее.

— Да и работы много.

Снова воцаряется молчание. Она отодвигает тарелку, закуривает. Взгляд не выражает ничего, никакого чувства.

— Ты думала, что увидишь меня когда-нибудь?

Молча киваю. Вчера от жены цыганского барона я узнала, что она была в их ресторанчике.

— Близится буря. Ты не хочешь прилечь, поспать немного?

— Я ничего не слышу. Ветер дует так же, как раньше. Лучше поговорим.

— Поверь мне. Еще будет время поговорить: всю свою жизнь, сколько бы ее ни оставалось, я буду рядом с тобой...

— Не надо этого сейчас говорить.

— ...но сейчас ты устала, — я продолжаю, делая вид, что не слышала ее замечания. Я чувствую, что надвигается буря. Как всякая буря, она несет с собой разрушение, но в то же время орошает поля, и вместе с дождевой водой нисходит на нас небесная мудрость. Как всякая буря, она должна пройти. И чем яростней она, тем скорее кончится.

Слава богу, я научилась встречать бури.

И, словно все Святые Марии Моря услышали меня, по цинковой крыше ударяют первые капли дождя. Девушка докуривает, я беру ее за руки и веду к своей кровати. Она ложится, закрывает глаза.

Не знаю, как долго она проспала. Я сидела, не сводя с нее глаз, и тот же голос, что слышался мне в лесу, шептал, что все будет хорошо, что тревожиться не надо, что перемены, которые готовит нам судьба, будут благоприятны, если только сумеем распознать их потаенную суть. Не знаю, кто забрал мою дочь из приюта, кто вырастил ее и выучил, превратил в эту независимую и успешную — так, по крайней мере, кажется — женщину. Я помолилась за этих людей — они помогли моей девочке выжить и не пропасть в этой жизни, — но вдруг почувствовала укол ревности, потом отчаянье, потом раскаянье и оборвала разговор со святой Сарой... Может быть, и напрасно привела она мою дочь сюда: то, что я потеряла, вернуть уже не удастся никогда.

Но передо мной было воплощение моей любви. И тотчас воскресли в памяти дни, когда я то подумывала о самоубийстве, то собиралась сделать аборт, то хотела навсегда покинуть этот край и уйти, куда глаза глядят и ноги несут. Именно тогда увидела я, как пролились мои слезы и кровь на дерево, и услышала голос самой природы, который уже не стихал с той поры, а делался все более внятным. Немногие люди из нашего табора знали об этом. Понять мою беду мог бы мой защитник и покровитель — тот, кто тогда отыскал меня в лесу, но он вскоре умер.

«Свет — нестоек, ветер гасит его, молния вновь зажигает, никогда не будет он прямо здесь, сияющий, как солнце, — и все-таки он стоит того, чтобы за него бороться», — часто повторял он.

Единственный человек, который не отверг меня и убедил остальных в том, что я могу вновь занять свое место в их мире. Только благодаря его непререкаемому авторитету меня не выгнали вон.

И, к несчастью, он — единственный, кто никогда не увидит мою дочь, не познакомится с ней. Я поплакала по нему, пока она неподвижно лежала в моей убогой кровати, на которой ей, наверно, было неудобно и жестко: она-то ведь привыкла к комфорту. Тысячи вопросов стучали у меня в голове — чем занимаются ее приемные родители, где она жила, училась ли в университете, любила ли кого-нибудь, что намерена делать дальше... Но ведь это не я обошла полсвета, чтобы найти ее, и, стало быть, мне положено не задавать вопросы, а отвечать.

Она открыла глаза. Я хотела погладить ее по голове, одарить нежностью, скопившейся в моей душе за все эти годы, но неизвестно было, как она к этому отнесется, и потому я сдержалась.

— Ты пришла сюда, наверно, чтобы узнать, почему...

— Нет. Я не хочу знать, почему мать бросает свое дитя; нет и не может быть причин для этого.

Слова ее разрывали мне сердце, но я не знала, как ответить на них.

— Кто я такая? Чья кровь течет во мне? Вчера, после того, как поняла, что смогу найти тебя, я ужаснулась. С чего начать? Разве не так? Ты ведь цыганка и, значит, умеешь гадать на картах. Предскажи, что будет со мной.

— Нет, мы гадаем только *чужим*. И тем зарабатываем себе на пропитание. Людям нашего племени мы не гадаем — ни по руке, ни на картах. А ты...

— ...часть племени. Хотя женщина, приведшая меня в этот мир, отправила меня в дальнюю даль.

— Да.

— Ну так что же я делаю здесь? Я увидела твое лицо, теперь могу возвращаться в Лондон, тем более что отпуск на исходе.

— Ты не хочешь спросить меня о твоем отце?

— Мне это совершенно не интересно.

И тут я поняла, чем могла бы помочь ей. И будто сами собой, помимо моей воли, выговорились слова:

— Ты сможешь понять, какая кровь течет в моих жилах и в твоем сердце.

Моими устами говорил мой покойный учитель. Дочь снова закрыла глаза и проспала почти двенадцать часов кряду.

На следующий день я проводила ее в окрестности Сибиу, где недавно открыли краеведческий музей. А до этого впервые в жизни с наслаждением накормила ее завтраком. Она отдохнула, стала немного мягче и расспрашивала меня о цыганах, так и не задав ни одного вопроса о моей жизни. Скупо рассказала о себе, и я узнала, что стала бабушкой! Ни о муже, ни о приемных родителях даже не упомянула. Сказала еще, что продает землю в далекой стране, но что скоро должна будет вернуться в Лондон.

Я предложила было: «Хочешь, научу тебя делать амулеты от сглаза и порчи?», но это ее не заинтересовало. А вот когда речь зашла о целебных травах, попросила меня показать, как их отличать и находить. Мы как раз проходили мимо сада, так что я смогла передать ей свое знание, хоть и знала, что оно вылетит у нее из головы, как только она вернется в отчий край, то есть, как я теперь знала, — в Лондон.

— Не мы владеем землей — она владеет нами. В прежние времена мы беспрестанно кочевали, и все вокруг принадлежало нам — и вода, и трава, и поля, по которым катили наши телеги. И наши законы были законами природы: выживает сильнейший, а мы, слабые, мы, вечные изгнанники, учимся скрывать и таить свою силу, чтобы применить ее, лишь когда придет время. Мы верим, что Бог не создал Вселенную. Бог и есть Вселенная, мы пребываем в Нем, Он — в нас. Хотя...

Я осеклась. Но все же решила договорить, чтобы так почтить память моего учителя:

The Saint

— ...хотя, по моему мнению, нам следует называть Его Богиней. Матерью. Не той, кто подкидывает свое новорожденное дитя к порогу приюта, а Той, кто живет в нас и оберегает нас в минуту опасности. Она всегда пребывает с нами, когда мы выполняем наши повседневные дела с любовью и радостью, сознавая, что ничто на свете не страдание, но все — лишь способ восславить Сущее.

Афина — теперь я уже знала ее имя — перевела взгляд на один из двух домов, стоявших в саду.

— Что это? Церковь?

Часы, проведенные рядом с нею, позволили мне собраться с силами, и я спросила, не хочет ли она поговорить о другом. Прежде чем ответить, она задумалась.

— Я хочу и дальше слушать все, что ты должна сказать. Однако, насколько я понимаю, все, что ты говоришь, противоречит обычаям и верованиям цыган.

— Этому обучил меня мой учитель. Он знал такое, чего не знают цыгане, и это он заставил табор вновь принять меня... И, учась у него, я сумела постичь могущество Матери — я, отвергшая благодать материнства.

Я ухватила рукой низенький кустик:

— Если когда-нибудь у твоего сына поднимется температура, поставь его рядом с юным растением и потряси листья — жар перейдет на них. Если тобой овладеет тоска — сделай то же самое.

— Лучше рассказывай дальше про своего покровителя.

— Он говорил мне, что сначала Творение пребывало в полном одиночестве. И тогда оно произвело на свет того, с кем можно было бы поговорить. Эти двое в любовном слиянии родили третьего, а потом счет пошел на тысячи и миллионы. Ты недавно спрашивала о церкви — так вот, я не знаю и знать не хочу, что это за церковь, какому богу в ней молятся, когда ее возвели. Мой храм — это сад, небо, вода в озере и в реке, это озеро питающей. И мои соплеменники — это те, кто мыслит и чувствует так же, как я, а не те, кто связан со мной кровными узами. Мои таинства — быть с ними, славя все, что вокруг нас. Когда ты собираешься вернуться домой?

— Останусь до завтра. Если я тебе не в тягость.

Еще один удар в самое сердце... Но что я могла ответить?

— Ты можешь быть здесь столько, сколько захочешь. Я спрашиваю потому лишь, что хотела отпраздновать твой приход. Если не возражаешь, устроим это сегодня вечером.

Она ничего не отвечает, и я понимаю: молчание — знак согласия. Возвращаемся домой, я снова кормлю ее, а она говорит, что должна съездить за своими вещами в отель в Сибиу. К ее приезду я все уже устроила. Мы идем на вершину холма на южной окраине городка, садимся вокруг только что разложенного костра, поем, танцуем, рассказываем всякую всячину. Афина присутствует, но не участвует, хотя цыганский барон сказал, что она — искуснейшая танцовщица. Впервые за все эти годы мне весело, ибо я смогла устроить для моей дочери эту церемонию и отпраздновать вместе с нею то, что мы с ней — живы, здоровы и погружены в любовь Великой Матери. Это ли не чудо?

Под конец она говорит, что переночует в отеле. Спрашиваю, расстаемся ли мы, а она говорит — нет. Завтра вернется.

И в течение целой недели мы делили с нею поклонение Вселенной. Как-то вечером она привела с собой своего друга, но специально объяснила мне: это — не ее возлюбленный и не отец ее ребенка. Этот человек — он был лет на десять постарше Афины — спросил, в честь чего устраиваем мы свою церемонию. Я ответила, что, по словам моего учителя, поклоняться кому-либо — значит ставить его вне нашего мира. Мы не поклоняемся, мы причащаемся Творению.

— Но ведь вы молитесь?

— Лично я молюсь святой Саре. Но здесь мы — только частица Целого и потому не молимся, а празднуем.

Мне показалось, что Афине понравился мой ответ. А ведь я всего лишь повторила слова моего учителя.

— А почему вы делаете это все вместе? Ведь свой союз со Вселенной каждый может праздновать в одиночку?

— Потому что другие — это я. А я — это другие.

В этот миг Афина взглянула на меня, и я поняла, что пришел мой черед рвать ей сердце.

— Завтра я уезжаю.

— Перед отъездом не забудь проститься со своей матерью.

Впервые за все эти дни я произнесла это слово. Голос мой не дрогнул, я не отвела глаза и знала, что, как бы там ни было, передо мной — плоть от плоти моей, плод чрева моего. И вела я себя, подобно маленькой девочке, сию минуту постигшей, что мир, вопреки тому, что твердят взрослые, полон не чудовищных призраков, но — любовью, причем не важно, как и в чем она выражается. Любовью, искупающей все грехи, исправляющей все ошибки.

И Афина прильнула ко мне в долгом объятии. Потом поправила покрывало у меня на голове — хоть у меня и нет мужа, но я не девушка, а потому по нашей традиции не должна ходить простоволосой. Что припас для меня завтрашний день, кроме разлуки с той, кого я так любила и боялась, — то и другое на расстоянии.

На следующий день она появилась с букетом цветов, прибралась в квартире, сказала, что мне пора завести очки — бесконечным шитьем я испортила себе глаза. Спросила, не будет ли неприятностей у тех, кто принимал участие в нашем торжестве, — не осудит ли их табор, — но я ответила, что нет: мой учитель был человек уважаемый, научил нас тому, чего многие из нас не знали, и ученики его живут по всему свету. Добавила, что он умер незадолго до ее появления.

— Однажды появился кот, подошел и потерся о его ноги. Для нас это возвещало смерть, и все мы встревожились, хотя знаем, как отвести злые чары, — есть на то особое действие.

Но мой учитель сказал, что пора отправляться в дальний путь: он хочет странствовать по мирам, о существовании которых только догадывался, хочет возродиться как ребенок, но сначала упокоиться на руках Матери. Похороны его были самые простые — могилу выкопали в ближнем лесу, — но народу пришло множество.

— И среди них была черноволосая женщина лет тридцати пяти?

— Точно не помню. Наверно, была... А что?

— В холле моего отеля я встретила женщину, которая сказала мне, что приехала на похороны друга. Думаю, речь шла о твоем наставнике.

Афина попросила меня рассказать еще что-нибудь о цыганах, но оказалось, что она и так все знает. Дело в том, что нам и самим почти ничего не известно о нашей истории, кроме обычаев и традиций. Я попросила ее, если когда-нибудь случится ей быть во Франции, съездить в городок Сент-Мари-де-ла-Мер и от моего имени отвезти святой Саре юбку.

— Сюда я приехала, потому что чувствовала — в моей жизни чего-то не хватает. Мне надо было заполнить мои пробелы, и я думала, что довольно будет лишь увидеть твое лицо. Но нет... Мне, оказывается, надо еще было убедиться, что меня любят.

— Тебя *любят*.

Я заговорила не сразу — пыталась уложить в слова то, что хотела высказать с той минуты, как разрешила Афине уехать.

— Хочу попросить тебя кое о чем.

— О чем угодно.

— Хочу попросить у тебя прощения.

Я увидела, как она закусила губу, а потом произнесла:

— Я ни в чем не знаю меры. Очень много работаю, дрожу над своим сыном, танцую, как сумасшедшая... Училась искусству каллиграфии, ходила на курсы риэлтеров, запоем читала... и все это — чтобы каждый миг был чем-то занят, ибо эти пробелы вселяют в меня ощущение ужасающей пустоты, где нет ни грана любви. Мои родители делали для меня все, а я думаю, что не перестаю их разочаровывать.

И только здесь, когда мы были вместе, когда устраивали празднество в честь Природы и Великой Матери, я осознала, что пробелы заполняются. Они постепенно превращаются в паузы — в тот миг, когда человек отрывает руку от барабана, прежде чем снова ударить в него. Думаю, теперь я могу ехать, хоть и не со спокойной душой, ибо моя жизнь нуждается в том ритме, к которому привыкла. Но и горечи в душе моей нет. А все цыгане верят в Великую Мать?

— На твой вопрос ни один из них не скажет «да». Мы усваиваем обычаи и верования у тех народов, среди которых поселяемся. И все же всех нас объединяет одно — цыгане, где бы они ни жили, поклоняются святой Саре, и каждый из них должен хотя бы раз в жизни побывать на ее могиле, в Сент-Мари-де-ла-Мер. Одни называют ее «Кали Сара», то есть — «Черная Сара», другие — Пречистой Девой Цыганской.

— Я должна ехать, — через некоторое время сказала Афина. — Меня проводит мой друг — когда-нибудь я тебя с ним познакомлю.

— Он вроде бы хороший человек...

— Ты говоришь как мать.

— Я и есть твоя мать.

— А я — твоя дочь.

Она обняла меня, на этот раз — со слезами на глазах. Держа Афину в объятьях, я гладила ее по голове, исполняя желание, которое владело мной всегда, с того самого дня, как судьба — или мое малодушие — разлучила нас. Я попросила ее беречь себя, а она ответила, что многому научилась здесь.

— А научишься еще большему, ибо, хоть мы все сидим взаперти по домам, службам, городам, наша древняя кровь еще помнит бесконечные кочевья. Помнит и заповеди, которые Великая Мать поставила на нашем пути, чтобы нам удалось выжить. Ты выучишься, но только если будешь рядом с людьми. В поисках твоих ничего нет хуже одиночества — если сделаешь неверный шаг, никого не окажется рядом, чтобы помочь тебе исправить его.

Она продолжала плакать, прильнув ко мне, и я чуть было не попросила ее остаться. Пришлось попросить моего покровителя, чтобы не дал мне пролить ни слезинки, потому что я хотела для Афины счастливой судьбы, а судьба ей была — идти дальше. Здесь, в Трансильвании, кроме моей любви, она ничего не получит. И, хоть я считаю, что любовь способна оправдать любое существование, я была непреложно убеждена, что не имею права просить ее пожертвовать своим будущим ради того, чтобы остаться со мной.

Афина поцеловала меня в лоб и ушла, не прощаясь. Быть может, думала, что когда-нибудь вернется. К каждому Рождеству она присылала мне столько денег, что я могла прожить целый год, не беря заказов, но я ни разу не ходила в банк получать деньги по этим чекам — хоть все в нашем таборе считали, что я веду себя как полная дура.

А шесть месяцев спустя переводы прекратились. Должно быть, Афина поняла, что шитье необходимо мне для заполнения того, что она называла «пробелами».

Мне очень хочется еще разок увидеться с нею, но я знаю — она никогда не вернется: сейчас, наверно, занимает уже какой-нибудь важный пост, вышла замуж за того, кого любила, и у меня уже, надо думать, не один внук. Кровь моя не иссякнет на этом свете, и ошибки мои будут прощены.

Самира Р. Халиль,
домохозяйка

Kогда Афина с радостным криком ворвалась в дом, подхватила на руки и стала тискать немного оторопевшего Виореля, я поняла, что все прошло лучше, чем ожидалось. Видно, Господь услышал мои молитвы — Афине теперь больше нечего открывать в себе, и она может наконец жить нормально, как все: воспитывать сына, снова выйти замуж и, главное, унять свою душевную лихорадку, которая ввергала ее то в безумное веселье, то в самую черную тоску.

— Мама, я люблю тебя!

Теперь пришел мой черед сжать ее в своих объятиях. Пока она была в отъезде, я не раз терзалась ужасом при мысли о том, что она пришлет кого-нибудь за Виорелем и мы с ними никогда больше не увидимся.

После того как она поела, приняла ванну, рассказала о встрече со своей родной матерью, описала мне Трансильванию (когда мы с мужем там были, я ничего, кроме сиротского приюта, не запомнила), я спросила, когда она собирается возвращаться в Дубай.

— Через неделю. Сначала мне надо будет съездить в Шотландию, встретиться там...

«С мужчиной!» — мелькнуло у меня в голове.

— С одной женщиной, — договорила Афина, заметив, наверное, мою лукаво-понимающую улыбку. — Я чувствую свое предназначение. Когда мы устроили празднование в честь жизни и природы, мне открылись вещи, о существовании которых я и не подозревала. То, что прежде я обретала только в танце, находится повсюду и везде... И у него — женское лицо: я видела его...

Тут я испугалась. Сказала, что ее предназначение — растить сына, делать карьеру, зарабатывать деньги, снова выйти замуж, почитать Бога таким, каким мы Его знаем.

Но Шерин не слушала меня.

— Это случилось там, в Трансильвании, вечером, когда мы сидели вокруг костра, пили, рассказывали какие-то забавные истории, слушали музыку. Если не считать одного случая в ресторане, я ни разу за все то время, что провела там, не испытывала необходимости в танце — как будто черпала энергию из другого источника. Да, так вот... Там, у костра, я почувствовала, что все вокруг меня — живое, все дышит и трепещет, я ощутила себя единым целым с Творением. И заплакала от радости, когда пляшущие языки пламени сложились в женское лицо — оно выражало сострадание, оно улыбалось мне...

Меня пробила дрожь — цыганские чары, дело ясное. И одновременно я вспомнила, как Шерин еще в школе говорила, что видела «женщину в белом одеянии».

— Не поддавайся этому — это козни лукавого. У тебя перед глазами всегда были хорошие примеры... Почему же ты не можешь просто жить — жить, как все люди? Нормально?

Ох, судя по всему, я поторопилась с выводом о том, что встреча с истинной матерью подействовала на Шерин благотворно. Но ожидаемой яростной вспышки не последовало — она продолжала улыбаться:

— А что такое «нормально»? Для чего папа продолжает работать как проклятый, хотя денег у нас хватит на три поколения? Он — честный, он заслужил то, что имеет, но повторяет с гордостью, что перегружен работой. Зачем? Чего он хочет добиться?

— Он достойный человек, который тяжело работал всю свою жизнь.

— Когда я жила с вами, он, приходя домой, всякий раз спрашивал, сделала ли я уроки, потом объяснял, насколько важно для мира то, что делает он, потом включал телевизор, комментировал положение в Ливане, а перед сном читал какую-то специальную литературу... Он постоянно был занят.

И ты — тоже... В школе я всегда была одета лучше всех, ты водила меня на праздники, следила, чтобы в доме было чисто и прибрано, ты всегда была ласкова со мной, ты дала мне безупречное воспитание. Но теперь, на пороге старости, скажи: что вы намерены делать со своей жизнью? Я-то уже выросла и обрела независимость.

— Будем путешествовать. Странствовать по свету, наслаждаться заслуженным отдыхом.

— Но почему не начать это прямо сейчас, когда вы с папой еще бодры и здоровы?

Я и сама задавала себе этот вопрос. Но чувствовала, что мужу *нужна* его работа — не для денег, а чтобы ощущать свою полезность, доказать, что и эмигрант с гордостью выполняет свои обязательства. Когда он брал отпуск и оставался в городе, ему всегда хотелось пойти в офис, поговорить с коллегами, принять какие-то решения, хотя они вполне могли бы и подождать. Я вытаскивала его в театры, кино, музеи, и он соглашался делать все, что мне хотелось, но я чувствовала — через силу, ибо по-настоящему его интересовала только фирма, дела, работа.

Я впервые разговаривала с ней как с подругой, а не с дочерью и старалась говорить на понятном ей языке.

— То есть ты хочешь сказать, что и твой отец тоже пытается заполнить «пробелы», как ты их называешь?

— Можешь не сомневаться, что в день, когда он выйдет на пенсию, — надеюсь, этот день не настанет никогда, — он впадет в настоящую депрессию. Что делать со свободой, завоеванной такими изнурительными усилиями? Все будут хвалить его за блистательную карьеру, за то, что он оставит семье немалое наследство, за то, как умело он руководит своей компанией. Но ни у кого не будет для него времени, ибо для всех остальных жизнь течет по-прежнему и они погружены в нее. И папа вновь почувствует себя изгнанником — но только на этот раз уже некуда будет бежать.

— Ну и какие у тебя по этому поводу мысли?

— Мысль у меня всего одна — я не хочу, чтобы и меня постигла такая участь. Не пойми меня превратно — я ни в коей мере не обвиняю вас за тот пример, который вы мне подаете. Однако я хочу изменений. И немедленно.

Дейдра О'Нил,
она же Эдда

Oна сидит в полнейшей темноте. Мальчик, разумеется, тотчас выбежал из комнаты: ночь — это царство ужаса, оживляющего чудовищные призраки прошлого, когда мы кочевали по миру, как цыгане, как мой прежний учитель — да благословит Мать его душу и да пребудет он до самого своего возвращения в Ее нежной заботе.

Когда гаснет свет, Афина не знает, что делать. Она спрашивает о сыне, а я отвечаю: «Не беспокойся, вверь его мне». Выхожу, включаю телевизор, нахожу анимационный канал, убираю звук, и готово — мальчик неотрывно уставился на экран. Проблема решена. Я задумываюсь над тем, как же раньше, когда не было телевидения, участвовали в этом ритуале женщины, тоже приводившие своих детей. Что тогда делали учителя?

Впрочем, это не мое дело.

Я должна вызвать в Афине те же чувства, которые испытывает сейчас ее сын: телеэкран для него — дверь в иную реальность. Все очень просто и одновременно — необыкновенно сложно. Просто, потому что достаточно всего лишь изменить отношение и сказать себе: «Не буду больше искать счастья». И с этого мгновения я — свободна и независима и смотрю на мир собственными, а не чужими глазами. Искать буду не счастье, а приключение.

А сложно — потому что люди внушили мне: счастье — это единственная цель, к которой стоит стремиться. Как же не искать его? Зачем вступать на опасную тропу, по которой другие ходить не рискуют?

И что *такое*, в конце концов, счастье?

Любовь, отвечают мне. Но любовь не приносит и никогда не приносила счастья. Скорее наоборот: любовь — это тоска и смятение, поединок, это — ночи без сна, когда терзаешься вопросом, правильно ли ты поступаешь. Истинная любовь состоит из экстаза и агонии.

Ну хорошо, не любовь. Мир. Но если мы взглянем на Мать, увидим, что Она никогда не пребывает в мире. Зима воюет с летом, солнцу никогда не дано встретиться с луной, тигр преследует человека, который боится собаки, которая преследует кота, который преследует мышь, которая пугает человека.

Деньги приносят счастье. Очень хорошо: все, у кого достаточно денег, чтобы обеспечить себе высочайший уровень жизни, могут больше не работать. Однако они работают, работают лихорадочно, словно боятся потерять все. Деньги приносят... нет, не счастье, а деньги. Бедность может принести несчастье, но обратное — не верно.

Большую часть своей жизни я искала счастья — а сейчас хочу только *радости*. Радость подобна сексу — она начинается и кончается. Я хочу наслаждения. Хочу удовольствия. А счастья? Да нет, больше я в этот капкан не попадусь.

Когда я, находясь среди нескольких человек, хочу спровоцировать их, задав один из важнейших вопросов нашего бытия, все отвечают: «Я счастлив».

Я продолжаю: «Но разве вы не хотите получить больше? Разве не хотите продолжать рост и развитие?» «Разумеется, хотим», — в один голос отвечают мне.

«Тогда вы — не счастливы», — говорю я. И мои собеседники предпочитают сменить тему.

Я должна вернуться в ту комнату, где сейчас находится Афина. Там темно. Она слышит мои шаги. Вот чиркнула спичка и зажглась свеча.

— Все, что окружает нас, — это Вселенское Желание. Это не счастье, а желание. А в желании всегда есть некая неполнота. Ибо, исполняясь, оно перестает быть желанием. Разве не так?

— Где мой сын?

— Он — в полном порядке, смотрит телевизор. Я хочу, чтобы ты смотрела на эту свечу — молча, не произнося ни слова. Только верь.

— Верить во что?

— Я ведь просила тебя хранить молчание. Просто верь — то есть ни в чем не сомневайся. Ты — жива, и эта свеча есть единственная точка в твоей вселенной. Верь в это. Забудь раз и навсегда, будто дорога — это способ дойти до цели, на самом деле цель достигается при каждом шаге. Повторяй каждое утро: «Я пришла», и ты увидишь, как легко тебе станет вступать в контакт с каждым мгновением твоего дня.

Я помолчала.

— Пламя свечи озаряет твой мир. Спроси ее: «Кто я?»

Снова помедлила немного и продолжала:

— Предвижу твой ответ: «Я — такая-то, пережила, увидела и прочувствовала то-то и то-то. У меня есть сын. Живу в Дубае». А теперь снова спроси у свечи: «А кем я не являюсь?»

И снова сделала паузу.

— Ты должна будешь ответить: «Счастливым человеком. Типичной матерью семейства, которая думает только о сыне, о муже, о том, как бы купить дом с садом, где можно будет проводить все лето». Я права? Ты можешь говорить.

— Права.

— Стало быть, мы на верном пути. Ты — как и я — человек неудовлетворенный. Твоя «реальность» плохо сочетается с «реальностью» других людей. И ты опасаешься, как бы та же судьба не постигла и твоего сына. Верно?

— Верно. Опасаюсь.

— И тем не менее знаешь, что остановиться не сможешь. Ты борешься, но не в силах одолеть свои сомнения. Внимательно гляди на свечу: в этот миг она — твоя вселенная. Она приковывает твое внимание и немного освещает то, что вокруг. Глубоко вздохни, как можно дольше задержи воздух в легких, а потом выдохни. Повтори это пять раз.

Она повиновалась.

— Это упражнение успокоит твою душу. Теперь вспомни мои слова — верь! Верь, что ты — в силах! Что ты уже пришла, куда стремилась. Помнишь, когда мы пили чай, ты рассказала мне, что сумела изменить поведение своих сослуживцев по банку, потому что научила их танцевать. Так вот, это — не так.

Ты изменила все — ты танцем преобразила действительность. Ты поверила в эту историю о *Вершине*, которая заинтересовала меня, хотя раньше я не слышала ничего подобного. Тебе нравилось танцевать, ты *верила* тому, что делаешь. Невозможно верить в то, что тебе не нравится, понимаешь?

Афина, не сводя глаз с огонька свечи, молча кивнула.

— Вера — это не желание. Вера есть Воля. Желание — это пустота, всегда требующая заполнения. Воля есть сила. Воля меняет пространство вокруг нас, подобно тому, как ты преобразила свою работу в банке. Но для этого тебе необходимо Желание. Пожалуйста, сосредоточься на свече!

Твой сын вышел отсюда и стал смотреть телевизор, потому что темнота пугала его. В чем причина этого? На темноту мы можем проецировать все что угодно, но чаще всего — наши страхи. Это свойственно и детям, и взрослым. Медленно подними правую руку.

Рука поднялась. Я попросила сделать то же самое и с левой рукой. Взглянула на ее груди — они были гораздо красивей моих.

— Можешь опустить — но медленно. Закрой глаза, глубоко вздохни, я зажигаю свет. Готово! Наш ритуал окончен. Пойдем в комнату.

Она поднялась с трудом — от долгого пребывания в позе, которую я велела ей принять, ноги онемели.

Виорель уже заснул. Я выключила телевизор, и мы прошли на кухню.

— Для чего было нужно все это? — спросила она.

— Для того лишь, чтобы вывести тебя из повседневной действительности. Внимание можно сосредоточить на чем угодно, но я предпочитаю темноту и огонек свечи. Но ты, наверное, хочешь узнать, куда я направляюсь? Так ведь?

Афина ответила, что ехала поездом три часа, да еще с ребенком, что ей надо собрать вещи и что на свечу она может смотреть у себя дома — для этого вовсе не нужно было приезжать в Шотландию.

— Очень даже нужно, — возразила я. — Нужно для того, чтобы понять — ты не одна, есть и другие люди, вступающие в контакт с тем же, что и ты. Достаточно тебе будет понять это — и ты поверишь.

— Во что?

— В то, что ты — на верном пути. И, как я сказала тебе, каждый сделанный шаг — это и есть достижение цели.

— На каком еще пути?! Я думала, что, когда найду в Румынии мать, обрету душевный мир, в котором так нуждаюсь. Ничего подобного не произошло. Так о каком пути ты говоришь?

— Об этом я ничего не знаю. Ты постигнешь это сама, когда начнешь учить других. Вернешься в Дубай — возьми себе ученика или ученицу.

— Чему же я стану их учить? Танцу или каллиграфии?

— Тем и другим ты уже владеешь в совершенстве. Ты должна учить тому, чего не знаешь сама. Тому, что Мать захочет явить людям через твое посредство.

Она взглянула на меня как на полоумную.

— Да-да, — настойчиво сказала я. — Как ты думаешь, зачем я попросила тебя поднять руки и глубоко вздохнуть? Чтобы ты подумала — мне ведомо нечто такое, чего ты не знаешь. Но это не так: это был всего лишь способ вывести тебя за пределы привычного мира. Я не прошу тебя благодарить Мать, твердить о том, какие чудеса Она творит, говорить, как среди пляшущих языков пламени возникает Ее дивный лик. Я попросила лишь сделать бессмысленное и нелепое движение — поднять руки, сосредоточиться на огоньке свечи. И этого достаточно. Достаточно при каждой возможности, при каждом удобном случае делать нечто такое, что не согласуется с действительностью, окружающей нас.

Когда ты начнешь придумывать для своего ученика ритуалы, ты почувствуешь — кто-то ведет тебя. И тогда начнется ученичество — так говорил мой учитель. Захочешь прислушаться к моим словам — хорошо. Не захочешь — продолжай жить, как жила, как живешь сейчас. И в конце концов начнешь биться головой о стену, чье имя «неудовлетворение».

Я вызвала такси, мы еще немного поболтали о пустяках вроде моды и мужчин, и Афина уехала. Я была совершенно убеждена в том, что она послушается меня, ибо не тот это был человек, чтобы не принять вызов.

— Учи людей быть разными! Больше ничего и не нужно! — крикнула я вслед удалявшейся машине.

Это называется — «радость». Ибо счастье — довольствоваться тем, что у тебя уже есть, будь то любовь, ребенок, работа. Но не для такой жизни появились на свет Афина и я.

Хирон Райан,
журналист

*С*амо собой разумеется, я не мог позволить себе влюбиться. Была женщина, которая меня любила, которая меня дополняла, которая делила со мной мгновения горести, часы радости.

Все, что происходило в Сибиу, было лишь дорожным приключением: так бывало со мной и раньше, когда я уезжал. Люди, выходя за пределы своего привычного мира, когда все предрассудки и препоны остаются позади, испытывают тягу к новым, острым ощущениям.

Сразу же по возвращении в Англию я заявил, что снимать документальный фильм о графе Дракуле как об исторической личности — это полнейшая чушь, построенная на том, что некий полоумный ирландец сумел создать омерзительный образ Трансильвании — красивейшего уголка планеты. Слова мои ни в малейшей степени не могли понравиться продюсерам, но мне в ту пору уже не было никакого дела до их мнения — с телевидения я сразу же ушел и поступил работать в одну из крупнейших в мире газет.

И вскоре понял, что хочу снова увидеться с Афиной.

Позвонил, предложил встретиться. Она согласилась, сказав, что хочет поводить меня по Лондону.

...Мы садимся в первый же автобус, который подходит к остановке, и не спрашиваем, по какому маршруту он движется. Выбираем наугад какую-то женщину и договариваемся, что выйдем там же, где она. И вот оказываемся в Темпле, проходим мимо нищего, который просит у нас милостыни. Но мы не подаем и идем дальше, слыша, как он поносит нас, и сознавая, что это — всего лишь способ общения.

Мы увидели, как кто-то пытается сломать телефонную будку; я хотел позвать полицию, но Афина не позволила: быть может, этот «кто-то» только что порвал со своей возлюбленной и нуждается в том, чтобы выплеснуть переполняющие его чувства. А быть может, ему не с кем перемолвиться словом и он не желает терпеть унижения, слушая, как другие звонят, чтобы поговорить о делах или о любви.

Потом она приказала мне закрыть глаза и точно описать нашу одежду. К моему удивлению, я сумел верно назвать лишь несколько деталей.

Потом спросила, что лежит на моем письменном столе.

— Груда бумаг, которые мне лень разложить по порядку.

— А тебе не приходило в голову, что эти бумаги — живые, что они что-то чувствуют, о чем-то просят и что-то хотят рассказать? Мне кажется, ты не уделяешь жизни внимания, которого она заслуживает.

Я пообещал, что, когда завтра приду в редакцию, огляжу все, что находится в моем кабинете.

Супруги-иностранцы с развернутой картой в руках спрашивают, как пройти к такому-то памятнику. Афина объясняет — очень четко и подробно, но...

— Да ты же послала их в противоположную сторону!

— Это не имеет ни малейшего значения. Они заблудятся — и это наилучший способ найти что-нибудь интересное. Постарайся сделать усилие и заполнить свою жизнь хоть малой толикой фантазии. У нас над головами — небо, и человечество, рассматривая его на протяжении тысячелетий, дало ему множество разумных объяснений. Забудь все, что ты знаешь о звездах, и тогда они снова превратятся в ангелов, или в детей, станут тем, во что тебе хочется верить в данную минуту. И, знаешь, это не сделает тебя глупей, чем ты есть. Это всего лишь игра, но она способна сделать твою жизнь богаче.

Наутро, придя в редакцию, я тщательно разложил каждую бумажку, словно это было послание, адресованное мне лично, а не представляемому мною учреждению. В полдень поговорил с секретарем редакции и предложил написать очерк о Богине, которой поклоняются цыгане. Идею одобрили, и меня командировали в «цыганскую Мекку» — в Сент-Мари-де-ла-Мер.

Звучит невероятно, но Афина не выразила ни малейшего желания отправиться вместе со мной. Сообщила, что ее друг — тот самый липовый полицейский, которым она прикрывалась, чтобы держать меня на расстоянии, — будет не очень-то доволен, если узнает, что она уехала с другим мужчиной.

— Но ведь ты обещала матери отвезти святой юбку!

— Обещала, но в том случае, если мне будет по дороге. Но городок — совсем в другой стороне. Когда-нибудь буду ехать мимо и тогда исполню этот обет.

В следующее воскресенье ей надо было возвращаться в Дубай, и потому она с сыном отправилась в Шотландию, чтобы повидать ту женщину, которую мы видели в ресторане бухарестского отеля. Я-то никакой женщины не помнил и решил, что она — такой же плод ее воображения, как и возлюбленный из Скотланд-Ярда. Отговорка, не более того. Однако настаивать не стал, хоть и почувствовал укол ревности — она предпочла мне другого человека.

Меня самого удивило это чувство. И я подумал, что, если придется лететь на Ближний Восток писать статью о том *буме* недвижимости, про который рассказали мне ребята из экономического отдела, я засяду за книги и изучу все, что касается земли, промышленности, нефти, политики, — если это поможет мне сблизиться с Афиной.

А статья про Сент-Мари-де-ла-Мер получилась прекрасная. По легенде святая Сара была цыганкой и жила в маленьком приморском городке, когда вместе с теми, кто бежал от преследований римлян, появилась там тетка Иисуса, Мария-Саломея. Сара помогла им, а потом обратилась в христианство.

Мне удалось побывать на празднестве и увидеть, как мощи обеих женщин, похороненных под алтарем, были извлечены из раки и подняты над пестрой, яркой, шумной многолюдной толпой, прибывшей сюда со всей Европы. Затем статую Сары, обернутую красивыми покрывалами, вынесли из ее святилища рядом с церковью — Ватикан ведь так никогда и не канонизировал ее — и по улочкам, засыпанным розами, доставили на берег моря. Четверо цыган в своих традиционных костюмах помещают реликвии в украшенную цветами лодку, входят в воду, повторяя сцену появления беглецов и их встречу с Сарой. Затем гремит музыка, звучат песни, храбрецы демонстрируют свою удаль перед быком.

Местный историк Антуан Локадур сообщил мне интереснейшие сведения о Женском Божестве. Я отправил в Дубай две страницы, написанные для туристического раздела нашей газеты. В ответ получил краткое и учтивое письмо, где, кроме благодарности за внимание, не было ничего.

Что ж, по крайней мере, подтвердилось, что адрес верен.

Антуан Локадур,

74 года, историк

*С*ару нетрудно идентифицировать как одну из многочисленных Черных Приснодев, встречающихся в мире. Сара-Кали, согласно преданию, происходила из знатного рода и владела тайнами мира. Насколько я понимаю, она является одним из многих воплощений Великой Матери, или Богини Творения.

И меня нисколько не удивляет, что все большее число людей проявляет интерес к языческим верованиям. Отчего это происходит? Оттого, что Бог-Отец всегда ассоциируется с жесткой упорядоченностью культа. Богиня-Мать, напротив, ставит любовь превыше всех известных нам запретов и табу.

Этот феномен далеко не нов: как только религия ужесточает свои нормы, множество людей устремляются на поиски большей свободы в осуществлении духовных контактов. Так произошло и в Средние века, когда католическая церковь ограничилась взиманием десятины и возведением роскошных монастырей, и, как реакция на это, возникло явление, именуемое «колдовство». С ним вели жестокую борьбу, однако выкорчевать до конца так и не смогли, и оно оставалось живо на протяжении веков.

В языческих верованиях поклонение силам природы важнее, чем почитание священных книг; Богиня пребывает во всем, и все есть составная часть Богини. Весь мир — лишь проявление Ее доброты. Многие философские системы — например, буддизм или даосизм — отрицают саму идею различия между Творцом и творением. Люди больше не пытаются расшифровать тайну жизни, а стремятся стать ее частью. И в буддизме или даосизме, хотя там нет упоминания о женском начале, основополагающий принцип утверждает, что «*все есть одно*».

В культе Великой Матери перестает действовать понятие «греха», понимаемого как нарушение неких произвольно выбранных моральных норм: поведение становится более свободным, ибо секс воспринимается как часть природы, а не как плоды зла.

Неоязычество показывает, что человек способен жить без религиозных установлений, в то же самое время не прекращая духовных поисков, призванных оправдать его существование. Если признать Бога Матерью, то нужно всего лишь соединиться с Ней и чтить Ее, совершая определенные ритуалы, которые могут удовлетворить Ее женственную душу, и элементами этих ритуалов становятся танец, огонь, вода, воздух, земля, песни, музыка, цветы, красота.

В последние годы эта тенденция усилилась неимоверно. Быть может, мы находимся в преддверии важнейшего в истории человечества момента, когда Дух соединится с Материей, когда они сольются воедино и преобразуют друг друга. В то же время предвижу, сколь ожесточенное противодействие, сколь яростную вспышку фундаментализма вызовет это у официальных религиозных организаций, справедливо опасающихся, что церкви начнут терять своих прихожан.

Я, как историк, ограничиваюсь тем, что собираю данные и анализирую противостояние между свободой поклонения и обязанностью повиноваться. Между Богом, правящим миром, и Богиней, являющейся частью этого мира. Между группами людей, которые объединяются и славят Божество, повинуясь внезапному душевному побуждению, и теми, кто, замкнувшись в узком кругу, внушают себе и другим, как должно и как не должно поступать.

Мне бы хотелось быть оптимистом и верить, что в конце концов человек найдет свой путь к духовному миру. Но приметы не слишком обнадеживают на этот счет: волна преследований со стороны ревнителей и охранителей фундаментализма способна, как уже бывало раньше, уничтожить культ Матери.

Андреа Мак-Кейн,
актриса

$\mathcal{T}$ак трудно сохранять беспристрастность, рассказывая историю, начавшуюся с восхищения и окончившуюся горькой досадой. Но все же я попробую, я честно постараюсь описать Афину, которую впервые увидела в квартире на Виктория-стрит.

Она в ту пору только вернулась из Дубая — с деньгами и с желанием поделиться всем, что познала относительно секретов магии. На этот раз она провела на Ближнем Востоке всего четыре месяца: продала земельные участки под застройку — там должны были возвести два огромных супермаркета, — получила такие комиссионные, которых, по ее расчетам, должно было хватить ей с сыном года на три безбедной жизни. К профессии риэлтера она могла вернуться в любой момент, а пока собиралась жить сегодняшним днем, наслаждаться последними годами юности и учить других тому, что познала сама.

Меня она приняла не слишком приветливо:

— Чего вы хотите?

— Я — актриса, мы ставим пьесу о женском лике Бога. От одного моего приятеля-журналиста я узнала, что вы бывали и в пустыне, и на Балканах, общались с цыганами и можете меня проконсультировать.

— И вы хотите познать истину Великой Матери всего лишь ради спектакля?

— А ради чего познавали ее вы?

Афина смерила меня взглядом и неожиданно улыбнулась:

— Вы правы. Это мне будет первым уроком: учи тех, кто хочет учиться. И не важно, ради чего.

— Что-что? — переспросила я.

— Ничего.

— Театр начинался как священнодействие. Он возник в Греции с празднеств в честь Диониса, бога вина и плодородия. Но принято считать, что с тех далеких эпох люди получили ритуал, исполняя который притворялись другими людьми и таким способом искали связь со священным.

— Спасибо. Второй урок.

— Не понимаю. Я пришла сюда учиться, а не учить.

«Что она — смеется надо мной?» — не без раздражения подумала я.

— Моя защитница...

— Защитница?

— Не обращайте внимания, когда-нибудь я вам все объясню. Так вот, моя защитница говорила, что может научить чему-нибудь лишь в том случае, если ее, так сказать, спровоцируют. С тех пор как я вернулась из

Дубая, вы — первая, кто пришел, чтобы показать мне это. Теперь я уловила смысл ее слов.

Я объяснила, что, готовясь к роли, уже побывала у нескольких учителей. Но не заметила в их наставлениях ничего особенного — разве что чем больше я углубляюсь в материал, тем сильней он разжигает мое любопытство. И добавила, что люди, узнавая, какой теме будет посвящен спектакль, слегка терялись и как будто сами не знали, чего хотят.

— По отношению к чему, например?

Например, к сексу. Где-то он был безоговорочно запрещен. А где-то — не только разрешен, но и перерастал в настоящие оргии. Афина попросила рассказать об этом подробней, и я не могла понять — то ли она меня испытывает, то ли и в самом деле не знает, что происходит.

Но прежде, чем я успела ответить, она продолжила:

— Танцуя, вы испытываете вожделение? Чувствуете, что высвобождаете вокруг себя энергию? Случается ли так, что вы как бы перестаете быть самой собой?

Я не знала, что сказать на это. По правде говоря, и на дискотеках, и в клубах, и в гостях танец всегда был проникнут чувственностью — мне нравилось дразнить мужчин, чувствовать на себе их жадные взгляды, но по мере того, как вечеринка шла своим чередом, мне становилось безразлично, соблазняю ли я кого-нибудь или нет.

— Если театр — это ритуал, то и танец — тоже, — говорила меж тем Афина. — Кроме того, это — древний, как мир, способ сблизиться с партнером. Узы, связывающие нас с миром, освобождаются от страхов, от предрассудков. Танцуя, человек позволяет себе роскошь быть самим собой.

Я почтительно внимала ей.

— А потом мы становимся такими, как прежде, — боязливыми, пытающимися быть более значительными, нежели нас считают остальные.

Она будто обо мне говорила. Или, может быть, так происходит со всеми?!

— У вас есть любовник?

Мне вспомнилось, как в одном из тех мест, где я побывала, чтобы изучить «Традицию Геи», кто-то из «друидов» попросил меня заняться перед ним любовью. Какая пугающая нелепость! Как смеют эти люди использовать наши духовные поиски в своих низменных целях?

— Есть или нет? — допытывалась она.

— Есть.

Афина не произнесла ни слова, а лишь приложила палец к губам, прося, чтобы я хранила молчание.

Внезапно я поняла, что мне бесконечно трудно сидеть перед человеком, с которым я только что познакомилась, — и молчать. У нас ведь принято всегда о чем-нибудь говорить — о погоде, о пробках на дорогах, о том, какой ресторан лучше... Мы с Афиной сидели на диване в ее гостиной, где все было белое и стояли музыкальный центр и стеллаж для компакт-дисков. Книг я не заметила нигде — как и картин по стенам. Мне самой пришлось поездить по свету, и я ожидала увидеть какие-то ближневосточные сувениры.

Но комната была пуста. А теперь в ней воцарилось молчание.

Серые пристальные глаза неотрывно смотрели на меня, но я выдержала характер и не отвела взгляд. Наверно, сработал древний инстинкт. Способ показать, что я не боюсь и принимаю брошенный вызов. Вот только от белизны этой комнаты, от безмолвия, нарушаемого лишь гулом машин за окном, все вдруг стало казаться мне каким-то ирреальным. Сколько ж мы еще будем сидеть вот так, не произнося ни слова?

Я принялась перебирать свои мысли. Зачем я пришла сюда? Найти материал для своей пьесы? Или чтобы обрести знание, мудрость... могущество? Я не могла определить, что привело меня к этой...

К кому — «этой»? К этой ведьме?

Ожили мои отроческие мечтания — кому из нас в юные годы не хотелось бы встретиться с настоящей колдуньей, овладеть искусством магии, внушать уважение и робость подругам? Кто не чувствовал обиды за многовековое угнетение женщины и не мечтал с помощью чар обрести утраченную личность? Почему же, несмотря на то, что у меня этот этап давно миновал, что я — независима, поступаю как заблагорассудится и занимаюсь любимым делом в такой области, как театр, где столь остро проявляется соперничество, я все никак не успокоюсь и вечно нуждаюсь в удовлетворении своего... любопытства?!

Мы с ней, наверно, сверстницы... Или я старше? А есть ли у нее возлюбленный?

Афина сделала движение в мою сторону. Теперь мы были друг от друга на расстоянии вытянутой руки. Я вдруг испугалась — а вдруг она лесбиянка?

Я не отводила от нее глаз, но помнила, где находится дверь, и могла выйти в любую минуту. Никто не вынуждал меня приходить сюда, встречаться с этой посторонней женщиной, сидеть здесь, попусту теряя время, не произнося ни слова и ни на йоту не приближаясь к познанию. Чего она хочет?

Может быть, эта тишина... Я ощущала, как напряглись мои мышцы. Я чувствовала свое одиночество и беспомощность. Мне отчаянно хотелось нарушить молчание или каким-нибудь иным образом сделать так, чтобы мозг перестал твердить мне о постоянной угрозе, исходящей отовсюду разом. Как могла она узнать, кто я такая? Мы — то, что сообщаем о себе!

Но разве она не расспрашивала меня о моей жизни? Ведь она осведомилась, есть ли у меня возлюбленный, не так ли? Я пыталась было побольше рассказать ей о пьесе, но не смогла. А все эти истории о ее цыганском происхождении, о путешествии в Трансильванию, страну вампиров?

Мысли продолжали вихрем нестись в голове — сколько мне будет стоить эта консультация? Почему я не узнала цену заранее? А вдруг так много, что я не смогу заплатить? И что тогда? Она зачарует меня — и в конце концов уничтожит?

Мной овладело желание встать, поблагодарить и сказать, что я пришла сюда не затем, чтобы сидеть и молчать. Когда приходишь к психиатру — рассказываешь о себе. Когда приходишь в церковь — читаешь молитвы. Когда отыскиваешь магию — приходишь к наставнику, который объяснит тебе, как устроен мир, и покажет ритуальные действия. Но молчание? И почему оно до такой степени тревожит меня?

Вопросы следовали один за другим — я не в силах была оборвать эту цепь. Не могла перестать отыскивать причину, по которой мы сидим здесь вдвоем, не произнося ни слова. И вдруг, по прошествии пяти или десяти минут, казавшихся бесконечными, она улыбнулась.

Я ответила улыбкой, и владевшее мной напряжение ослабело.

— Постарайтесь быть *другой*. Больше ничего не надо.

— Не надо? Сидеть в молчании — значит быть другой? Уверена, что в эту минуту в Лондоне тысячи людей испытывают безумное желание перемолвиться словом хоть с кем-нибудь, а вы мне говорите, что молчание изменит меня?

— Сейчас, когда вы говорите и тем самым переустраиваете Вселенную, вы в конце концов убедите себя, что вы — правы, а я — нет. Но ведь вы же сами видели: пребывать в молчании — это нечто совсем иное.

— Это неприятно. И ничему не учит.

Она, казалось, не обратила на мои слова никакого внимания.

— В каком театре вы работаете?

Наконец-то моя жизнь вызвала у нее интерес! Я вновь обретала статус нормального человека, имеющего профессию и все прочее! Я пригласила ее на свой спектакль, ибо видела единственную возможность отомстить в том, чтобы продемонстрировать умение, которого лишена Афина. А вынужденное молчание оставило во рту горький привкус унижения.

Она спросила, может ли взять с собой сына. И я сказала — нет, это пьеса для взрослых.

— Что ж, тогда оставлю его с бабушкой... Давно я не бывала в театре.

Она ничего не взяла с меня за консультацию. Я рассказала другим участникам постановки о своей встрече, и всем ужасно захотелось взглянуть на это загадочное существо, которое при первом знакомстве просит только посидеть молча.

В назначенный день Афина появилась в театре. После спектакля пришла ко мне в уборную поздороваться, но не сказала, понравилось ей или нет. Мои коллеги пригласили ее в бар, и там она вдруг сама начала говорить о том, что при первой нашей встрече оставлено было без ответа:

— Никто — и даже сама Великая Мать — никогда не желал бы, чтобы в качестве прославления божества практиковался чистый секс: обязательно должна присутствовать *любовь*. Вы сказали, что встречали людей такого типа? Будьте осторожны...

Мои друзья ничего не поняли, но тема им понравилась, и они буквально засыпали Афину вопросами. Но я насторожилась, слыша, как она отвечает: создавалось впечатление, будто у нее самой — не слишком богатый опыт по этой части. Она говорила про обольщение, описывала ритуалы праздников плодородия, а завершила свой рассказ греческим мифом — без сомнения, потому, что при первой нашей встрече я упомянула о древнегреческих корнях театра. Не иначе как всю неделю готовилась блеснуть своими познаниями.

— После тысячелетий мужского владычества мы возвращаемся к культу Великой Матери. Греки звали ее Геей, и в соответствии с мифом Она родилась из хаоса, царившего во Вселенной. Вместе с ней на свет появился бог любви Эрос, а потом Она родила Небо и Море.

— От кого? — осведомился кто-то.

— Ни от кого. Есть в биологии понятие, именуемое «партеногенез», то есть способность производить потомство без участия мужской особи. Существует и мистическое понятие, к которому мы больше привыкли, — непорочное зачатие.

От Геи произошли все прочие боги и богини, которые позже заселили Олимп, и в том числе — наш милый Дионис, ваш кумир. Но по мере появления городов-государств культ Геи вытеснялся культами Аполлона, Ареса, Зевса — каждый из этих богов прекрасно разбирался в своем деле, однако ни один из них не был наделен тем очарованием, которое присуще было Матери всего сущего.

Вслед за тем Афина принялась расспрашивать нас о нашей работе. Режиссер спросил, не хочет ли она прочесть нам несколько лекций.

— О чем?

— Обо всем, что знаете сами.

— Честно говоря, все свои сведения об истоках театра я почерпнула из книг, прочитанных за эту неделю. Знания надо приобретать по мере надобности — так говорила мне Эдда.

Моя догадка подтвердилась!

— Но зато я могу поделиться с вами другим — тем, чему научила меня жизнь.

Все согласились. Никто не спросил, кто такая Эдда.

Дейдра О'Нил,
она же Эдда

$\mathcal{Я}$ не раз говорила Афине: не стоит ей проводить здесь все время для того лишь, чтобы отвечать на дурацкие вопросы. Если уж какая-то группа людей решила принять ее в качестве учителя, почему бы не использовать этот шанс, чтобы действительно стать учителем?

— Делай то же, что всегда делала я.

Постарайся обрести душевное равновесие в те минуты, когда ты чувствуешь себя самой ничтожной из людей. Не верь, что это плохо: пусть Мать вселится в твою плоть и в твою душу, откройся ей через танец, или через безмолвие, или через самые обыденные, рутинные дела и поступки — приготовь, например, ужин, отведи сына в школу, приберись в доме. Все это — поклонение Матери, если только сумеешь сконцентрироваться на присутствии в настоящем моменте.

Никого ни в чем не убеждай. Когда чего-то не знаешь — спроси или докопайся сама. Но, совершая поступки, будь подобна безмолвно струящейся реке, откройся энергии. Верь — об этом я сказала тебе в нашу первую встречу, — просто верь.

Верь, что ты *можешь*.

Поначалу ты будешь пребывать в растерянности и смятении. Потом придешь к выводу: все думают, будто обманываются. Все люди, сколько ни есть их на земле, склонны предполагать худшее: все боятся болезни, вторжения, нападения, смерти — так попытайся же вернуть им утраченную радость бытия.

Будь светла.

Перепрограммируй себя так, чтобы ежеминутно приходили тебе в голову лишь такие мысли, которые заставят тебя расти. Если впадешь в ярость или в смятение, постарайся сама посмеяться над собой. Смейся, хохочи над этой озабоченной, подавленной, тоскливой женщиной, уверенной, что ее проблемы — наиважнейшие. Смейся над этой абсурдной ситуацией, ибо ты — это проявление Матери. А еще верь, что Бог — это человек, следующий правилам. На самом-то деле большая часть наших проблем сводится к этому — к необходимости следовать правилам.

Сосредоточься.

Если не найдешь ничего, на чем ты можешь сфокусировать свой ум, сосредоточься на дыхании. Через твои ноздри проникает светоносная река Матери. Слушай удары сердца, следуй свободному течению своих мыслей, которые ты не можешь контролировать, контролируй свое желание немедленно подняться и сделать что-нибудь «полезное». Каждый день в течение нескольких минут сиди, ничего не делая, и постарайся извлечь из этой праздности как можно больше.

Когда моешь посуду, молись. Благодари уже за то, что есть тарелки, требующие мытья: это значит, что на них раскладывали еду, что ты кого-то накормила, что позаботилась о ближнем, приготовляя еду, накрывая на стол. Думай о том, скольким миллионам в эту минуту решительно нечего есть и не для кого накрывать на стол.

Разумеется, многие женщины говорят: не стану мыть посуду, пусть муж вымоет. Что ж, пусть моет, если хочет, но только не усматривай в этом равенства условий. Нет ничего неправильного в том, чтобы делать простые, незамысловатые вещи, — хотя, если завтра я изложу свои мысли в статье, будут говорить, что я работаю против идеи феминизма.

Какая чушь! Как будто то, что я мою посуду, или ношу лифчик, или открываю и закрываю двери, хоть как-то унижает мое женское достоинство. По правде говоря, я обожаю, когда мужчина открывает передо мной дверь: согласно этикету, это значит: «она нуждается в том, чтобы я сделал это, потому что хрупка», однако в душе моей запечатлены другие слова: «мне поклоняются, как богине, со мной обращаются, как с королевой».

И я не отстаиваю принципы феминизма, ибо мужчины в той же степени, что и женщины, суть выражение Великой Матери, Божественного Единства. Больше и выше этого нет ничего на свете.

Мне бы так хотелось увидеть, как ты учишь других тому, что познала сама. В этом и состоит цель жизни — в раскрытии! Ты превращаешься в канал, ты слушаешь самое себя, ты дивишься тому, на что оказалась способна. Помнишь, как работала в банке? Ты, быть может, так и не поняла этого, но тогда энергия струилась через твое тело, твои глаза и руки.

Ты ответишь: «Но ведь это не совсем так. Это же был танец».

А танец — это просто ритуал. Что такое ритуал? Это — умение превратить монотонное и обыденное в нечто отличное, ритмичное и способное стать каналом для Единения. И потому я настаиваю — будь *другой*, даже когда моешь посуду. Пусть руки твои движутся, ни разу не повторяя предшествующего жеста, но при этом соблюдают ритм.

Если тебе это поможет, вызови какие-нибудь зрительные образы — цветы, птиц, деревья в лесу. Постарайся думать не об отдельных предметах — вроде той свечи, на которой ты концентрировала внимание в первый раз, — а о целых совокупностях. И знаешь ли, что ты вскоре заметишь? Что ты не выбираешь мысли.

Приведу пример. Представь себе летящую стаю птиц. Скольких ты видишь? Одиннадцать, девятнадцать, пять? У тебя есть общее представление, но точного числа ты не знаешь. Откуда же возникла эта мысль? Кто-то вложил ее в твою голову. Тот, кому доподлинно известно количество птиц, деревьев, камней, цветов. Тот, кто в эти доли секунды успел позаботиться о тебе и показать тебе свое могущество.

Ты — такая, в какую веришь.

Не стоит повторять, как все, кто верит в «позитивное мышление», что ты — любима, что полна сил или способностей. Не надо твердить себе это, ибо ты и так это знаешь. А если вдруг усомнилась, — думаю, что на этом этапе сомнения должны возникать довольно часто, — сделай то, что я предложила тебе. Вместо того чтобы пытаться убедить себя, что ты — лучше, чем думаешь, *просто посмейся*. Посмейся над своими заботами и тревогами, над своей неуверенностью. С юмором отнесись к приступам тоски. Поначалу будет трудно, но постепенно привыкнешь.

А теперь повернись и ступай навстречу ко всем тем, кто думает, будто ты знаешь все. Убеди себя в их правоте — ибо все мы знаем все, просто в это надо поверить.

Верь.

Группы очень важны, сказала я тебе в Бухаресте в первую нашу встречу. Они заставляют нас совершенствоваться, ибо в одиночку ты можешь всего лишь смеяться над собой, а так ты сможешь и смеяться, и действовать. Группы бросают нам вызов. Группы позволяют нам собираться по нашим склонностям и влечению. Группы создают коллективную энергию, и легче достичь экстаза, потому что каждый «заражает» всех остальных.

Разумеется, и они — группы, коллектив — тоже способны уничтожить нас. Но это — составная часть бытия, «условие человеческого существования»: жить с другими, жить среди других. И если человек не сумел в полной мере развить в себе инстинкт выживания, значит, он не усвоил ничего из слов Матери.

Тебе повезло, девочка. Группа только что попросила тебя учить ее чему-то — и это превратит тебя в учителя.

Хирон Райан,

журналист

$\mathcal{P}$ еред первой встречей с актерами Афина пришла ко мне. Прочитав мою статью о Саре, она вбила себе в голову, что я понимаю ее мир — а это не в полной мере соответствовало действительности. Моя единственная цель заключалась в том, чтобы привлечь ее внимание. Хоть я и пытался принять как должное существование некой невидимой реальности, способной вмешиваться в нашу жизнь, единственным побудительным мотивом была любовь, признать которую я не желал, что нисколько не мешало ей развиваться, исподволь, неуловимо производя свое опустошительное воздействие.

А я был удовлетворен моей вселенной и ничего не собирался менять, даже если бы что-то и подталкивало меня к этому.

— Я боюсь, — сказала Афина, едва переступив порог. — Но я должна сделать следующий шаг — делать то, о чем меня просят. Мне нужно *верить*.

— Но ведь у тебя огромный опыт. Ты училась у цыган, у дервишей в пустыне...

— Ну, прежде всего, это не совсем то... Что значит «учиться»? Приумножать знания или преобразовать свою жизнь?

Я предложил сходить куда-нибудь вечером — поужинать и потанцевать. На первое она согласилась, от второго отказалась.

— И все же ответь, — настойчиво повторила она, оглядывая мою квартиру. — Значит ли это, что мы складываем все это на полки или наоборот — отказываемся от всего ненужного, чтобы следовать своей стезей налегке?

А на полках стояли книги, которые я выискивал и покупал, внимательно читал с карандашом в руке, делая отметки на многих страницах. На полках стояли мои истинные наставники, сформировавшие меня как личность.

— Сколько у тебя здесь книг? Наверно, больше тысячи. И большую их часть ты никогда больше не откроешь. Ты хранишь их, потому что не веришь.

— Во что не верю?

— Просто не веришь. Тот, кто верит, будет читать, как читала я, готовясь к беседе с актерами. А потом самое главное — допустить, чтобы Великая Мать говорила за тебя и раскрывалась в этих словах. Потом ты должен заполнить пробелы, которые писатели оставляют намеренно, чтобы разжечь воображение читателя. И вот, заполнив эти пустоты, ты уверуешь в свои возможности.

Как много людей хотели бы прочесть эти вот книги, но не могут купить их, потому что нет денег. А ты держишь у себя эту застоявшуюся энергию, потому что хочешь произвести впечатление на своих гостей. Или потому, что не веришь, что чему-то научился благодаря им, и думаешь, что тебе придется вновь рыться в них, ища нужные сведения.

Она говорила со мной жестко, но — странное дело! — меня это завораживало.

— Так ты считаешь, что мне не нужна библиотека?

— Я считаю, что книги надо читать, а не хранить под спудом. Знаешь что? Давай раздадим большую часть людям, которые встретятся нам на пути в ресторан. Или для тебя это чересчур смелая идея?

— Да нет, просто они не поместятся в мою машину.

— Наймем грузовик.

— В этом случае наш ужин отложится на неопределенное время. И потом, ты ведь пришла, чтобы побороть свою неуверенность, а не затем, чтобы решать, что мне делать с моими книгами. Без них я будто голый.

— Ты хотел сказать — невеждой.

— Еще правильней было бы назвать меня «некультурным».

— Значит, твоя культура — не в сердце, а на книжных полках.

Ну, хватит, подумал я. Позвонил в ресторан, заказал столик, сообщил, что мы придем через четверть часа. Афина явно хотела отсрочить то, за чем она явилась сюда, — глубочайшая неуверенность в себе заставляла ее нападать на меня вместо того, чтобы всматриваться в глубину собственной души. Ей нужен был мужчина рядом, и — как знать? — используя извечные женские уловки, она проверяла, как далеко я смогу зайти и готов ли сделать ради нее что-нибудь.

Всякий раз, как я бывал в ее обществе, мое существование казалось мне оправданным. Может быть, она хотела услышать это от меня? Ладно, еще будет время сказать это за ужином. Я был готов едва ли не на все — даже расстаться с моей тогдашней возлюбленной, — но, разумеется, не к тому, чтобы раздавать мои книги на улице.

В такси мы снова заговорили о предполагаемых занятиях с актерами, хотя мне хотелось бы — о любви, и тема эта представлялась мне куда важней Маркса, Юнга, лейбористской партии или тех проблем, с которыми я каждый день сталкивался в редакциях.

— Тревожиться тебе не о чем, — сказал я, едва пересиливая желание взять Афину за руку. — Все будет хорошо. Говори о каллиграфии. Говори о танце. О том, что ты знаешь.

— Если следовать твоему совету, я никогда не обнаружу того, что не знаю. Когда я стану перед ними, я должна буду сделать так, чтобы мой разум молчал, а говорило сердце. Но ведь это — впервые, и потому мне страшно.

— Хочешь, я пойду с тобой?

Она согласилась. Мы вошли в ресторан, заказали вина, начали пить. Я — чтобы набраться смелости и заговорить о любви, которая, как мне казалось, переполняет меня, хоть я и сознавал, что это нелепость — любить человека, толком его не зная. Афина — потому что должна была говорить о том, чего не знала, и хотела преодолеть страх.

На втором бокале я почти физически ощутил, как напряжены ее нервы. Взял ее за руку, но Афина мягко высвободилась.

— Я не могу бояться.

— Еще как можешь! Сколько раз я испытывал страх! И все равно — когда надо было, шел вперед, отвечал на любой вызов.

Я и сам был взвинчен и взволнован. Снова наполнил бокалы. Официант ежеминутно подходил справиться, что мы будем есть, а я всякий раз отвечал, что заказ сделаем попозже.

Путано и сбивчиво я говорил обо всем, что приходило в голову, Афина вежливо слушала, но было видно— она пребывает где-то очень далеко, в темной вселенной, населенной призраками и фантазмами. Потом вдруг снова рассказала о женщине из Шотландии и о ее советах. Я усомнился в том, можно ли учить тому, чего не знаешь сам.

— Разве тебя кто-нибудь учил любить? — был ее ответ.

Неужели она читает мои мысли?

— Нет, не учил. Но ты, как и всякий человек, оказался способен постичь эту науку. Как? Да никак. Ты *поверил*. Поверил и, следовательно, полюбил.

— Афина...

Я запнулся, но все же сумел окончить фразу, хоть и собирался произнести нечто совсем иное.

— ...наверно, пора выбрать, что мы будем есть.

Я понял, что еще не готов говорить о том, что переворачивало мне душу. Подозвал официанта, заказал всякой всячины — чем дольше будем мы ужинать, тем лучше — и еще одну бутылку вина.

— Какой ты странный... Ты что — обиделся на мои слова о ненужности книг? Поступай, как знаешь, я не собираюсь менять твой мир.

За несколько секунд до этого я как раз подумал об этом.

— Афина, мне нужно поговорить о том, что было в том баре в Сибиу, помнишь? Звучала цыганская музыка...

— Не в баре, а в ресторане.

— Ну да. Сегодня мы говорим о книгах, которые скапливаются и занимают место. Может быть, ты и права. Есть нечто такое, чем я хочу поделиться с той минуты, как увидел тебя в танце... С каждым днем это «нечто» становится все тяжелее.

— Не понимаю, о чем ты.

— Отлично понимаешь. Я говорю о любви, которую всеми силами пытаюсь уничтожить — раньше, чем она проявится. Мне хотелось бы, чтобы ты приняла ее; это то немногое, что есть во мне от меня самого и чем я не обладаю. Она не вся принадлежит тебе, потому что в моей жизни есть и другой человек. Но я был бы счастлив, если бы ты могла как-то принять ее.

Твой соотечественник, арабский поэт Халиль Джибран сказал: «*хорошо давать, когда просят, но стократ лучше — все вверить тому, кто не просил ничего*». Если бы я не сказал сегодня вечером всего, что сказал, то оставался бы лишь наблюдателем, свидетелем всего происходящего — но не участником жизни.

Произнеся все это, я вздохнул с облегчением: вино помогло мне раскрепоститься.

Афина допила свой бокал; я сделал то же. Появился официант с подносом, принялся рассказывать о заказанных нами блюдах, об их особенностях, ингредиентах, способах приготовления. Он говорил, а мы смотрели друг другу прямо в глаза — Андреа говорила, что для Афины, которая так же вела себя в первую их встречу, это способ смутить собеседника.

Молчание становилось гнетущим. Я уже видел, как она поднимается из-за стола, сказав что-нибудь о своем пресловутом друге из Скотланд-Ярда или что, мол, ей очень лестно, но нужно готовиться к завтрашним занятиям.

— «*А разве существует на свете такое, что можно сохранить? Все, чем владеем, когда-нибудь будет у нас* взято. *Деревья отдают свои плоды, ибо, сохраняя их, положили бы предел своему бытию».*

Голос ее, от вина звучавший низко и прерывисто, сковал молчанием все вокруг нас.

— *«И больше заслуги — не у того, кто предлагает, но у того, кто принимает, не чувствуя себя в долгу. Мало дает делящийся лишь вещественным, и много — отдающий самого себя».*

Она отпила еще немного вина. Я сделал то же. Теперь мне не надо было спрашивать, принят ли мой дар или отвергнут. И на душе стало легче.

— Наверное, ты права. Подарю их публичной библиотеке, а дома оставлю только несколько штук — те, которые наверняка буду перечитывать.

— Ты в самом деле хочешь поговорить об этом?

— Не хочу. Но я не знаю, как иначе поддержать разговор.

— Что ж, тогда отдадим должное здешней кухне. По-моему, это удачная мысль, а?

Нет, я так не считал и хотел бы услышать что-нибудь другое. И, не решившись возразить, заговорил о библиотеках, книгах, поэтах, горько раскаиваясь в том, что заказал такую прорву еды, — теперь уже мне хотелось опрометью выскочить из-за стола, ибо я не знал, как продолжать это наше свидание.

Под конец она взяла с меня слово, что я приду в театр на ее первое занятие, — и для меня это было сигналом. Она нуждается во мне, она принимает то, что я бессознательно мечтал предложить ей, впервые увидев в трансильванском ресторанчике ее танец, но лишь сегодня вечером смог понять.

Или, как сказала Афина, *поверить.*

Андреа Мак-Кейн,
актриса

*Д*а, я виновата! Если бы не я, Афина в то утро не пришла бы в театр, не собрала бы нас, не уложила на сцене прямо на пол и не начала бы с полного расслабления, включающего в себя правильное дыхание и осознание каждой части тела.

«Теперь — мышцы бедер...»

Мы все — хоть и проделывали это упражнение сотни раз — повиновались беспрекословно, словно перед нами была богиня, высшее существо, знающее больше, чем мы все вместе взятые. Каждому хотелось узнать, что последует за... «...теперь расслабьте лицевые мускулы, сделайте глубокий вдох» и т. п.

Неужели она всерьез считала, что учит нас чему-то новому? Мы-то ждали чего-то вроде лекции или семинара-беседы! Я должна сдерживаться, вернемся в прошлое, расслабимся — и вновь погрузимся в тишину, окончательно сбившую всех нас с толку. Обсуждая потом все это с коллегами, я выяснила: у всех тогда возникло ощущение, что занятие окончено, пора подняться, оглядеться — однако никто не сделал этого. Мы продолжали лежать, словно бы в состоянии какой-то насильственной медитации, и тянулась она еще пятнадцать нескончаемых минут.

Потом вновь раздался ее голос:

— У вас было время усомниться во мне. Один или двое выказали нетерпение. Но теперь я попрошу вас только об одном: на счет «три!» поднимитесь — и станьте *иными*.

Я не сказала: пусть каждый станет другим человеком, или животным, или домом. Старайтесь не делать того, чему научились на театральных курсах, — я не прошу вас быть актерами и проявить свои дарования. Я приказываю вам перестать быть человеческими существами и превратиться во что-то неведомое.

Мы лежали на полу с закрытыми глазами, так что не могли знать, кто как реагирует на эти слова. На этом и строила Афина свой расчет.

— Сейчас я произнесу некие слова, а вы попытаетесь найти зрительный образ, который будет ассоциироваться с ними. Помните — вы отравлены расхожими мнениями, и если я скажу «судьба», вы приметесь, должно быть, представлять свою жизнь в будущем. Скажу «красный» — займетесь психоаналитическим толкованием. Я не этого хочу. Нужно, чтобы вы стали *другими*.

Она даже не могла как следует объяснить, что ей требовалось. Никто не возражал, но, я уверена: потому лишь, что никому не хотелось выглядеть невоспитан-

The Theatre

ным. Но больше ее никогда не пригласят. Да еще и меня упрекнут в наивности — зачем надо было ее разыскивать и приводить?!

— Итак, первое слово: «священный».

Чтоб не помереть с тоски, я решила подчиниться правилам этой игры и представила мать, любовника, будущих детей, блестящую карьеру.

— Сделайте движение, соответствующее этому слову.

Я скрестила руки на груди, словно обнимая всех милых моему сердцу. Потом уже узнала, что большинство широко раскинули руки, а одна девушка — даже и ноги, словно собралась отдаться невидимому партнеру.

— Расслабьтесь. Забудьте обо всем. Держите глаза закрытыми. Я никого не осуждаю, но по вашим жестам вижу, что вы пытаетесь придать понятию «священный» некую форму. Я не этого просила — я хотела, чтобы вы не пытались определить слово так, как оно бытует в этом мире. Откройте свои каналы, пусть через них уйдет интоксикация действительности. Отрешитесь от всего конкретного, и лишь тогда войдете в тот мир, куда я веду вас.

Последние слова прозвучали с такой непререкаемой властностью, что я почувствовала, как меняется в зале энергия. Голос принадлежал человеку, знающему, куда он нас хочет привести. Это был голос не лектора, а Учителя.

— Земля!

Внезапно я поняла, о чем она. Мое воображение теперь уже было ни при чем — я сама стала землей.

— Сделайте движение, которое обозначало бы землю.

Я не шевельнулась, превратившись в настил сцены.

— Прекрасно, — сказала Афина. — Все остались неподвижны. И все впервые испытали одно и то же чувство: вместо того чтобы описывать какое-либо понятие, вы сами превратились в него.

Снова на долгие пять минут — так мне показалось — повисла тишина. Мы слегка растерялись, ибо неспособны были понять — то ли наша наставница не знает, как продолжить, то ли не подозревает, как интенсивно мы работаем на репетициях.

— Сейчас я произнесу третье слово.

Пауза.

— Центр.

Я почувствовала, как вся моя жизненная энергия устремилась куда-то в область пупка, где словно бы возникло желтоватое свечение. Мне стало страшно от этого: если бы кто-нибудь дотронулся до меня, я бы умерла.

— Обозначьте движением! — выкрикнула она резко.

И я, бессознательно защищаясь, прижала руки к животу.

— Прекрасно. Можете сесть.

Я открыла глаза и различила высоко над головой далекие погасшие огни софитов. Потерла ладонями лицо, поднялась, заметив удивление своих товарищей.

— Так это и была лекция? — спросил режиссер.

— Можно назвать лекцией, если вам это нравится.

— Спасибо, что пришли. А теперь — простите, нам пора начинать репетицию.

— Но я еще не закончила.

— Как-нибудь в следующий раз.

Такая реакция режиссера всех несколько смутила. Отогнав первоначальные сомнения, я подумала, что нам вроде бы понравилось занятие Афины. Мы такого раньше не видали — это не то что изображать предметы или людей, представлять свечу или яблоко, сидеть в кругу, взявшись за руки, притворяясь, что исполняешь священный ритуал. Это был какой-то абсурд, и просто нам хотелось знать, как далеко он может зайти.

Афина — лицо ее было совершенно бесстрастно — наклонилась за своей сумкой. В этот миг из партера донесся чей-то возглас:

— Изумительно!

Это оказался Хирон, пришедший вместе с Афиной. Режиссер побаивался журналиста — у него были обширные связи в различных изданиях и приятели среди театральных критиков.

— Вы перестали быть личностями и превратились в носителей голой идеи! Очень жаль, что у вас — репетиция, но ты не горюй, Афина, мы найдем другую группу, и я все же узнаю, чем кончается твоя лекция. Это я беру на себя.

Я еще помнила свет, скользивший по моему телу и потом замерший на пупке. Кто же все-таки эта женщина? Интересно, испытывали ли мои коллеги те же ощущения, что и я?

— Минуточку, — сказал режиссер, оглядывая удивленные лица своих актеров. — Может, мы все же сдвинем немного репетицию и...

— Не надо. Я должен немедленно ехать в редакцию и писать про эту женщину. Вы делайте то же, что и всегда, а вот я нашел потрясающий сюжет.

Если Афину и занимало, чем кончится этот спор, то виду она не показала. Спустилась со сцены, подошла к Хирону. Когда они покинули зал, мы все обступили режиссера, спрашивая, зачем же он так вел себя?

— При всем моем уважении к Афине, должен сказать, что наш разговор о сексе — помните, тогда, в ресторане? — был куда интересней, чем все эти глупости, которыми мы тут занимались. Помните, она вдруг надолго замолчала? Она просто не знала, как продолжить!

— А у меня были очень странные ощущения, — сказал один из актеров постарше. — Когда она произнесла слово «центр», мне показалось, будто вся моя жизненная сила сосредоточилась в пупке. Никогда раньше подобного не испытывал.

— Ты... уверен? — спросила актриса, и по тому, *как* она это спросила, было ясно: те же ощущения посетили и ее.

— Эта женщина похожа на ведьму, — сказал режиссер, обрывая разговор. — Ну, давайте работать.

Мы начали с растяжек, разогрева, медитации — все, как предписывает учебник. Затем пошли этюды, а затем приступили к читке новой пьесы. Постепенно присутствие Афины стало тускнеть и блекнуть, и все стало таким, как всегда, — театром, ритуалом, созданным тысячелетия назад, где мы привычно *притворялись другими*.

Но это было всего лишь представлением. *Другой* была Афина, и я твердо решила, что непременно увижусь с нею снова. Не последнюю роль в этом сыграли слова режиссера.

Хирон Райан,
журналист

*С*ам того не замечая, я совершал те же самые действия, которые Афина предлагала актерам, то есть выполнял все ее требования — с той лишь разницей, что глаза не закрывал и следил за происходящим на сцене. В тот миг, когда она произнесла: «Обозначьте движение!», я положил руки на живот и, к своему несказанному удивлению, увидел, что все, включая режиссера, сделали то же самое. Что бы это могло значить?

В тот день мне надлежало сочинить скучнейшую статью — настоящее упражнение на усидчивость! — о пребывании лидера одной страны в Великобритании. В паузах для развлечения стал спрашивать коллег, какое движение они сделают, если я попрошу обозначить «центр»? Большая часть отшучивалась, говоря что-нибудь о политических партиях. Один приложил ладонь к сердцу. Другой ткнул пальцем вниз, к центру земли. И никто — решительно никто! — не воспринял пупок как центр чего-либо.

В конце концов один из тех, с кем мне удалось поговорить с тот день, объяснил мне кое-что.

Вернувшись домой, Андреа приняла душ, накрыла на стол и поджидала меня к ужину. Откупорила бутылку очень дорогого вина, разлила его по бокалам, протянула мне один:

— Ну и как прошел вчерашний ужин?

Как долго способен человек уживаться с ложью? Мне не хотелось терять женщину, сидевшую передо мной, — в трудные минуты, когда я чувствовал, что совершенно неспособен найти хоть какой-то смысл в своей жизни, она неизменно оказывалась рядом. Я любил ее, но в том безумном мире, в пучину которого я, сам того не зная, погружался, сердце мое отдалялось от нее, ибо я пытался примениться к тому, что, быть может, знал, но принять не мог: славы одного из партнеров хватит и на второго.

И поскольку всегда предпочитал синицу в руке, то постарался представить случай в ресторане как нечто совершенно незначительное. Тем более что там и вправду совершенно ничего не было, если не считать, что мы прочли друг другу строки арабского поэта, сильно настрадавшегося из-за любви.

— Афина — человек трудный и неуживчивый.

Андреа рассмеялась:

— Именно поэтому она должна быть безумно притягательна для мужчин: она пробуждает инстинкт защитника, живущий в каждом из вас, но остающийся невостребованным.

Лучше бы, конечно, сменить тему. Я всегда был убежден, что женщины обладают сверхъестественной способностью знать, что происходит в душе мужчины. Все они — ведьмы.

— Я собираю материал по поводу того, что было вчера в театре. Ты, может быть, не знаешь, но я сидел с открытыми глазами.

— При твоей профессии иначе нельзя. Ты будешь говорить о моментах, в которые ведут себя схожим образом. Мы много обсуждали это вчера в баре, после репетиции.

— Знакомый историк рассказал мне, что в одном древнегреческом храме, где предсказывали будущее (*храм Аполлона в Дельфах. — Прим. ред.*), стоял кусок мрамора, называвшийся «пуп». По тогдашним представлениям, именно там находился центр планеты. Я порылся в газетных подшивках и обнаружил вот что: в иорданском городе Петра есть еще один «конический пуп», символизирующий уже центр всего Мироздания. И первый — в Дельфах, — и второй пытаются обозначить ось, через которую проходит энергия мира, — иными словами, сделать зримым то, что принято считать невидимым. Иерусалим тоже называют «пуп земли», так же, как некий остров в Тихом океане, и еще какое-то место — я забыл где, потому что никогда не соотносил одно с другим.

— Танец!

— Что?

— Нет, ничего.

— Я понял, о чем ты говоришь: о восточных танцах живота, самых древних из всех, о которых есть упоминания. Ты не хотела говорить, потому что я рассказывал тебе, как в Трансильвании видел танец Афины. Она была одета, но...

— ...но движение начиналось с пупка, а потом рас-пространялось по всему телу.

Андреа была права.

В самом деле, лучше сменить тему, поговорить о теа-тре, о том, как тошнит иногда от журналистики, потом немного выпить и, когда за окном польет дождь, завер-шить вечер в постели. ...Я заметил, что в миг оргазма тело Андреа вращается, будто на невидимой оси, про-ходящей через пупок. Я видел это сотни раз, но раньше никогда не обращал на это внимания.

Антуан Локадур,
историк

*Н*адо полагать, Хирон сильно потратился на звонки во Францию, прося достать все материалы до конца недели и особенно напирая на эту историю с пупком — мне лично она казалась весьма неромантической и совершенно неинтересной. Однако англичане видят мир иначе, нежели мы, французы, а потому я счел за благо вопросов не задавать и собрать все, что говорит по этому поводу наука.

Тут же стало ясно, что уже имеющихся исторических сведений недостаточно: я заметил совпадения различных древних цивилизаций в этом вопросе и, более того, — употребление одного и того же слова для определения мест, считавшихся священными. Прежде я никогда не обращал на это внимания, а теперь заинтересовался. Обнаружив закономерность в этих совпадениях, я начал поиски дополнительных материалов, способных пролить свет на поведение человека и его верования.

Первое и наиболее логичное объяснение — через пуповину к нам поступают питательные вещества, и оттого пуп следует считать центром жизни — было тотчас отброшено. Психолог объяснил мне, что эта теория лишена всякого смысла, ибо, поскольку пуповина неизменно перерезается, центральным становится именно мотив отделения, а более значительными символами делаются мозг или сердце.

Давно замечено, что, когда мы чем-то увлечены, кажется, будто все вокруг так или иначе соотносится с предметом нашего интереса (мистики называют это явление «знаками», скептики — «совпадением», психологи — «ассоциативной доминантой», а термин, употребляемый историками, мне еще предстоит определить). Так вот, однажды вечером моя дочь — девочка-подросток — появилась дома с проколотым пупком, то есть — с *пирсингом*.

— Зачем ты это сделала?

— А мне нравится.

Что ж, объяснение звучало более чем естественно даже для ученого-историка, стремящегося во всем найти мотив или причину. Войдя в комнату дочери, я увидел на стене плакат, изображавший ее любимую поп-певицу — разумеется, тоже с голым животом, и пупок тоже казался центром Вселенной.

Я позвонил Хирону узнать, почему же он так заинтересован этим. И тогда он рассказал мне о происходившем в театре, о том, как люди спонтанно и самым неожиданным образом отреагировали на приказ. Отчаявшись добиться толку от дочери, я решил проконсультироваться у специалистов.

Проблема эта никого не интересовала, но вот случай свел меня с индийским психологом Франсуа Шепкой (*имя и национальность изменены по просьбе самого ученого. — Прим. ред.*), коренным образом пересматривавшим бытующие методики лечения. По его мнению, метод возвращения в детство как средство исцеления душевных травм совершенно неэффективен — многие проблемы, уже решенные самой жизнью, возвращаются в своей первозданной силе, и взрослые люди снова винят в своих фрустрациях и поражениях родителей. Шепка вел ожесточенную полемику с французскими психоаналитиками, и разговор на такую нелепую тему, как пупок, насколько я мог судить, развлекал и успокаивал его.

Он-то и рассказал мне, что по теории Карла Густава Юнга, одного из крупнейших в истории психоаналитиков, все мы пьем из одного источника. Он называл его «Душа Мира». Хотя все мы пытаемся быть независимыми, часть памяти у каждого из нас — общая для всех. И все мы ищем идеал в красоте, в танце, в Божестве, в музыке.

Общество между тем берет на себя ответственность за то, как эти идеалы будут выражаться в реальной действительности. В наши дни, например, идеал красоты — худощавая, стройная женщина, хотя тысячелетия назад богини были полнотелы и пышны. То же происходит и с понятием счастья: существует код неких правил, и если не следовать им, твое сознание не согласится признать, что носитель его счастлив.

Юнг разделял индивидуальный прогресс на четыре этапа: первый — это «Персона», маска, которую мы носим изо дня в день, веря, что мир зависит от нас, что мы — отличные родители, а наши дети нас не понимают, что наши хозяева несправедливы по отношению к нам, что все люди мечтают никогда не работать и посвятить жизнь путешествиям. Многие сознают, что здесь кроется какое-то заблуждение, но, не желая ничего менять, стремятся как можно скорее выбросить эту мысль из головы. Лишь единицы пытаются постичь суть этого заблуждения и в результате обретают «Тень».

Тень — это наша темная сторона, диктующая, как следует действовать и вести себя. Пытаясь освободиться от *Персоны*, мы зажигаем свет в душе и видим там паутину, малодушие, мелочность. *Тень* существует для того, чтобы воспрепятствовать нашему движению вперед, и, как правило, ей это удается: мы стремительно возвращаемся в то состояние, в каком находились до того, как начали сомневаться. Некоторым все же удается выстоять в этом столкновении: «Да, у меня есть пороки и недостатки, но я — достойная личность и хочу двигаться вперед».

В этот миг *Тень* исчезает, и мы входим в контакт с Душой.

В понятие «душа» Юнг не вкладывает ничего религиозного: он говорит о возвращении к *Душе Мира*, источнике познания. Инстинкты становятся более обостренными, эмоции — радикальными, знаки становятся важнее логики, восприятие реальности — уже не столь определенно. Мы начинаем бороться с тем, к чему не привыкли, и реагировать неожиданным для нас самих образом.

И обнаруживаем, что если нам удается направить этот мощный поток постоянной энергии в определенное русло, то мы можем создать некий очень прочный центр, который Юнг называет «Мудрый Старец» по отношению к мужчинам и «Великая Мать» — если речь идет о женщинах.

Допустить это проявление — дело довольно опасное. Как правило, тот, кто доходит до этого этапа, начинает считать себя святым, пророком, повелителем духов. Необходима большая душевная зрелость для того, чтобы взаимодействовать с энергией *Мудрого Старца* или *Великой Матери*.

— Юнг сошел с ума, — сказал мой друг после того, как перечислил мне четыре этапа, описанных швейцарским психоаналитиком. — Когда он вошел в контакт со своим *Мудрым Старцем*, то стал говорить, что отныне его ведет некий дух по имени Филемон.

— И вот теперь...

— ...наконец мы приближаемся к символическому значению пупа. Четыре этапа проходят не только люди, но и общества. У западной цивилизации есть *Персона*, то есть идеи, которые направляют нас.

Пытаясь приспособиться к изменениям, она взаимодействует с *Тенью*: мы видим грандиозные массовые манифестации, в ходе которых коллективную энергию можно использовать как во зло, так и на благо. Внезапно, по той или иной причине, *Персона* или *Тень* перестают удовлетворять людей — и тогда скачкообразно происходит бессознательное соединение с Душой. Начинают появляться новые ценности.

— Я заметил. Вот, например, возрождается культ женской ипостаси Бога.

— Прекрасный пример. И в конце этого процесса для того, чтобы новые ценности укоренились, вся раса начинает взаимодействовать с символами — на зашифрованном языке, с помощью которого нынешние поколения могут общаться с древней мудростью. Один из таких символов возрождения — пуп. В пупе Вишну, индийского божества, ведающего созиданием и разрушением, сидит бог, который на каждом цикле развития правит миром. Йоги считают его одной из *чакр* — священных точек человеческого тела. Первобытные племена воздвигали памятники в тех местах, где, по их мнению, находился пуп земли. В Южной Америке люди, впадая в транс, утверждали, что человек на самом деле представляет собой светящееся яйцо, связанное с другими особями нитями, выходящими из его пупка.

Мандала — рисунок, стимулирующий способность к медитации, — есть символическое воплощение этого.

Все эти сведения я отправил в Англию, не дожидаясь оговоренного срока. И написал, что женщина, способная вызвать у целой группы людей одинаковую и одинаково абсурдную реакцию, должна обладать колоссальным могуществом, и я не удивлюсь, узнав, что она наделена паранормальными способностями. Еще добавил, что хорошо бы изучить ее более тщательно.

Больше я об этом не думал и постарался немедленно позабыть; дочка сказала, что я как-то странно себя веду, думаю только о себе и погружен в созерцание собственного пупа!

Дейдра О'Нил,
она же Эдда

— Все не так! Я удивляюсь — как ты умудрилась вбить мне в голову, будто я сумею кого-то чему-то научить?! Зачем было унижать меня перед другими?! Я должна забыть о твоем существовании. Когда меня учили танцевать, я танцевала. Когда учили выводить буквы, я писала. Но ты с каким-то извращенным упорством требуешь того, что выше моих сил! Вот потому я села на поезд и приехала сюда — чтобы ты могла видеть, как я тебя ненавижу!

Она плакала не переставая. Еще хорошо, что сына оставила у своих родителей, подумала я, потому что говорила она слишком громко и дыхание ее отдавало... запахом спиртного. Я попросила ее войти — скандалы на пороге моего дома едва ли смогут улучшить мою репутацию, и без того безнадежно загубленную: и так соседи твердят, что я принимаю у себя мужчин, женщин и устраиваю грандиозные оргии во имя Сатаны.

Однако она не трогалась с места, продолжая кричать:

— Это ты во всем виновата! Ты унизила меня!

Распахнулось окно, за ним — другое. Что ж, тот, кто намерен перевернуть мир и сбить Землю с ее оси, должен быть готов и к недовольству соседей. Я приблизилась к Афине и сделала именно то, чего она ждала, — обняла ее.

Она еще долго плакала у меня на плече. Бережно поддерживая, я помогла ей подняться по ступенькам, ввела в дом. Заварила чаю по рецепту, которым не делюсь ни с кем, потому что его сообщил мне мой учитель, поставила перед ней чашку, и Афина выпила ее залпом. Так она дала мне понять, что ее доверие ко мне осталось в неприкосновенности.

— Почему я такая?

Я знала, что действие алкоголя кончается.

— Есть мужчины, которые любят меня. Есть сын, который обожает меня и видит во мне образец для подражания. Есть приемные родители, которых я считаю родными людьми и которые готовы умереть ради меня. Я заполнила пробелы в своем прошлом, когда отыскивала свою настоящую мать. Есть деньги, на которые я могу три года жить, ничего не делая. Но я несчастна!

Я чувствую себя отверженной и отягощенной виной, потому что Бог благословил меня трагедиями, которые я сумела пережить, и чудесами, которым я отдала достойную дань. Но мне всего мало! Я хочу большего! Не надо было идти в тот театр и добавлять этот провал к списку моих побед!

— Ты считаешь, что поступила неправильно?

Она замерла и взглянула на меня с испугом:

— Почему ты спросила об этом?

Я молча ждала ответа.

— Нет, я поступила правильно. Вместе с одним журналистом я вошла в зал, не имея ни малейшего представления о том, что буду делать дальше, и внезапно все стало возникать как будто из ничего. Ощутила рядом с собой присутствие Великой Матери, почувствовала, что она ведет меня и наставляет и заставляет мой голос звучать уверенно, хотя, по чести сказать, уверенности во мне не было.

— Так на что же ты жалуешься?

— Так ведь никто же ничего не понял!

— Неужели это важно? Важно до такой степени, что ты примчалась в Шотландию прилюдно оскорблять меня?

— Разумеется, важно! Если я способна сделать что угодно, если знаю, что поступаю верно, то почему же не в силах испытывать к себе по этому поводу любовь и восхищение?!

Ах вот в чем дело. Взяв ее за руку, я повела Афину в ту комнату, где несколько недель назад она созерцала свечу. Попросила ее сесть и успокоиться, хоть и была уверена, что чай произведет необходимое действие. Потом прошла в свою комнату, взяла круглое зеркало и поставила его перед Афиной.

— У тебя есть все. Ты боролась за каждую пядь своей территории. Теперь взгляни на свои слезы. Взгляни на лицо, и ты увидишь, какое страдание написано на нем. Вглядись в лицо женщины в зеркале и постарайся понять ее.

Я выждала немного, чтобы Афина успела последовать моим инструкциям. А заметив, что она начинает впадать в транс, продолжала:

— В чем загадка жизни? Мы зовем это «благодатью» или «благословением». Все пытаются удовлетвориться тем, что имеют. Кроме меня. Кроме тебя. Кроме нас — горстки людей, которые, увы, должны будут пойти на определенные жертвы во имя чего-то большего.

Наше воображение больше, чем мир, окружающий нас, и мы выходим за предписанные нам пределы. В старину это называлось колдовством — и хорошо, что времена переменились, а не то нас с тобой сожгли бы на костре. Когда эти казни прекратились, наука нашла объяснение в так называемой «женской истерии», и хотя эта болезнь не грозит больше смертью на костре, но все же порождает целый ряд проблем — особенно на работе.

Не беспокойся, скоро это будут называть «мудростью». Смотри в зеркало — кого ты там видишь?

— Женщину.

— А еще?

Афина немного поколебалась. Я настаивала и наконец получила ответ:

— Другую женщину. Она умнее и искреннее меня. Это — как душа, которая не принадлежит мне, но составляет часть моего существа.

— Да, это так. Теперь я попрошу тебя вообразить один из самых важных символов алхимии — змею, пожирающую собственный хвост. Сможешь представить?

Она кивнула.

— Так живут люди, подобные тебе и мне. Они постоянно разрушаются и восстанавливаются. Все в твоей жизни происходит таким образом: от одиночества к встрече, от развода — к новой любви, из офиса банка — к пустыне. Лишь одно пребывает неприкосновенным — это твой сын. Он — путеводная нить всего твоего бытия, отнесись к этому с уважением.

Она снова расплакалась, но теперь это были совсем другие слезы.

— Ты пришла сюда, потому что увидела в пламени женское лицо. То же самое, что сейчас — в зеркале. Постарайся почтить его. Не позволяй подчинить себя тем, что думают другие, ибо через несколько лет, или десятилетий, или веков мысль эта преобразится. Живи сейчас тем, чем люди будут жить лишь в отдаленном будущем.

Чего ты хочешь? Быть счастливой? — Нет, это слишком просто и скучно. Одной любви? — Нет, это невозможно. Так чего же ты хочешь? Оправдания своей жизни: ты хочешь прожить ее как можно более насыщенно. Это одновременно — и ловушка, и экстаз. Старайся быть внимательной к опасности, старайся испытать радость от того, что станешь Женщиной, которую видишь за отражением в зеркале.

Глаза Афины закрылись, но я знала — мои слова проникли к ней в душу и останутся там надолго.

— Если хочешь рискнуть и продолжать учить — давай! Если не хочешь — знай, что прошла гораздо дальше, чем большинство людей.

Тело ее обмякло. Я подхватила ее, прежде чем она упала, и, склонив голову ко мне на грудь, Афина уснула.

Я попыталась что-то прошептать ей, ведь я сама уже проходила через те же этапы и знала, сколь труден этот путь. Так говорил мне мой хранитель, мне пришлось испытать это на собственной шкуре. Но оттого, что этот опыт труден, он не становится менее интересным.

А в чем его суть? В том, чтобы жить как человек и как божество. Переходить из напряжения в расслабленность. От расслабленности — в транс. От транса — к самому насыщенному общению с людьми. А от него — вновь к напряжению, и так далее, уподобившись змее, кусающей собственный хвост.

Это нелегко — прежде всего потому, что требует безусловной любви, которой не страшны ни страдание, ни потеря, ни неприятие.

Но тот, кто хоть однажды отведал этой воды, никогда уже не сможет утолять жажду из другого источника.

Андреа Мак-Кейн,
актриса

— *О*днажды ты говорила о Гее, которая родила себя сама, а потом произвела на свет сына, обойдясь без мужчины. Ты совершенно правильно сказала еще, что Великая Мать постепенно стала уступать свое место мужским богам. Но позабыла о Гере, одной из внучек твоей любимой богини.

Гера занимает в ареопаге богов важное место, потому что связана с практическими нуждами людей. Она повелевает небом и землей, временами года и бурями. Если верить древним грекам, Млечный Путь, который мы видим на небе, — это молоко, брызнувшее из груди Геры. Прекрасной груди, заметим мимоходом, ибо всемогущий Зевс обратился в птичку для того лишь, чтобы прильнуть к ней поцелуем и не быть отвергнутым.

Мы прогуливались с ней по огромному торговому центру в Найтсбридже. Я позвонила и сказала, что мне хотелось бы поговорить, и Афина пригласила меня на зимнюю распродажу — хотя было бы гораздо лучше вместе выпить чаю или пообедать в тихом ресторанчике.

— Ты не боишься, что твой сын потеряется в такой толчее?

— Не беспокойся за него. Продолжай.

— Но Гера распознала эту уловку и заставила Зевса жениться на себе. Впрочем, сразу после церемонии царь богов вновь предался своей жизни олимпийца-плейбоя, соблазняя всех богинь и смертных женщин, что попадались ему на пути. Гера оставалась ему верна. И вместо того, чтобы винить супруга, говорила, что женщины должны вести себя иначе...

— Не так ли поступаем все мы?

Я продолжала, словно не слышала этих слов:

— ...пока все же не решилась отплатить Зевсу той же монетой — найти бога или человека и затащить его в постель... Может быть, все-таки остановимся и выпьем где-нибудь кофе?

Но Афина была уже в бельевом магазинчике.

— Красиво, правда? — спросила она, показывая весьма игривого фасона гарнитур телесного цвета, отделанные кружевами лифчик и трусики.

— Очень. Но если ты наденешь такое, разве его кто-нибудь увидит?

— Разумеется. Или ты думаешь — я святая? Так что ты там говорила о Гере?

— Зевс испугался такого поведения. Но Гера, обретя независимость, уже мало заботилась о своем браке... А у тебя есть любовник?

Афина оглянулась по сторонам и, убедившись, что сын не слышит нас, односложно произнесла:

— Есть.

— Я никогда его не видела.

Она заплатила за комплект белья, положила пакет в сумку.

— Виорель проголодался, и я уверена — греческие мифы ему не интересны. Расскажи, что там было с Герой.

— Финал дурацкий: боясь потерять свою возлюбленную, Зевс притворился, что снова женится. Узнав об этом, Гера поняла, что дело зашло слишком далеко — она могла стерпеть любовниц, но не развод.

— Обычное дело.

— Она решила отправиться на торжество, устроить там большой скандал — и лишь уже на месте поняла, что Зевс просит руки статуи.

— Что же сделала Гера?

— Расхохоталась. Это растопило лед, и она снова стала царицей богов и людей.

— Ну и прекрасно. Если когда-нибудь такое случится с тобой...

— Что именно?

— Если твой муж заведет себе другую, не забудь рассмеяться.

— Но я-то — не богиня. Я, пожалуй, этим не ограничусь. А почему я никогда не видела твоего возлюбленного?

— Потому что он очень занят.

— Где вы с ним познакомились?

— У него был счет в том банке, где я работала. А теперь извини — меня ждет Виорель. Ты права: он и в самом деле может потеряться среди всех этих сотен людей... На будущей неделе у меня дома будет нечто вроде встречи — ты, разумеется, приглашена.

— Я даже знаю, кто организует ее.

Афина с показной лаской расцеловала меня в обе щеки и удалилась: по крайней мере, мой намек был ей понятен.

А днем в театре режиссер сказал, что возмущен тем, что я собрала группу, которая отправится к Афине домой. Я объяснила, что эта идея принадлежит не мне: Хирону так понравилась история с пупом, что он спросил меня, не захочет ли кто-нибудь из актеров продолжить прерванную лекцию.

— Но ведь он не распоряжается тобой.

Разумеется, нет, но меньше всего на свете мне бы хотелось отпускать его одного к Афине.

Актеры уже собрались, однако режиссер вместо читки новой пьесы решил изменить программу:

— Давайте сегодня устроим психодраму (*психодрама — терапевтический групповой процесс, в котором в качестве инструмента для изучения внутреннего мира пациента используется драматическая импровизация. — Прим. ред.*).

В этом не было необходимости; все мы уже знали, как ведут себя персонажи в ситуациях, выстроенных автором.

— Можно мне предложить тему?

Все обернулись ко мне. Режиссер, казалось, был сильно удивлен.

— Это что — бунт?

— Выслушайте меня до конца. Давайте воссоздадим такую ситуацию: человек, преодолев множество трудностей, сумел собрать группу людей, чтобы отпраздновать значительное событие — ну, скажем, что-то связанное с урожаем. Между тем в деревню попадает чужестранка: она так хороша собой и за нею тянется такой шлейф легенд — говорят, что она богиня, принявшая облик смертной женщины, — что группа, собранная этим добрым человеком, чтобы поддерживать традиции их поселения, сразу же распадается. Все устремляются на встречу с приезжей.

— Но ведь это не имеет ни малейшего отношения к пьесе, над которой мы работаем! — воскликнула одна из актрис.

Режиссер, впрочем, уловил суть моего замысла:

— Прекрасная идея, можем начинать, — и, обернувшись ко мне, добавил: — Андреа, ты будешь новоприбывшей. А я сыграю роль этого малого, который из лучших побуждений пытается сохранить традиции и обычаи. Группа состоит из супружеских пар — они вместе ходят в церковь, по субботам собираются, помогают друг другу...

Мы сели на пол, расслабились и начали упражнение — на самом деле, весьма несложное: центральный персонаж (в данном случае — я) создает ситуации, а прочие реагируют на них.

И, выполнив релаксацию, я превратилась в Афину. Я воображала, как она носится по всему свету, подобно сатане, ища верноподданных для своего царства, но при этом принимает облик Геи, всеведущей богини, сотворившей все живое. В течение пятнадцати минут образовывались «супружеские пары»: они знакомились, сообща придумывали истории о своих детях, о хозяйстве, о понимании и дружбе. Почувствовав, что их вселенная создана, я села в углу сцены и заговорила о любви.

— Итак, мы находимся в маленькой деревне. Вы считаете меня чужестранкой, и потому вам интересно то, что я могу поведать вам. Вы никогда не путешествовали, вы не знаете, что происходит за горами, но я могу сказать вам: «Нет необходимости возделывать землю! Она и так всегда будет щедра к вашей общине. Важнее возделывать душу человеческую. Когда говорите, что любите путешествовать, употребляете не то слово — любовь есть отношения между людьми.

Вы желаете, чтобы урожай был богат и обилен, и по этой причине решили полюбить землю? Новая глупость: любовь — это не желание, не познание, не восхищение. Это — вызов, это невидимый глазом огонь. А потому вы ошибаетесь, считая меня чужестранкой, оказавшейся в вашем краю. Нет, мне все здесь знакомо и близко, ибо я пришла сюда во всеоружии силы и в свете пламени и, когда уйду, никто здесь уже не будет прежним. Я несу истинную любовь — совсем не ту, о которой вы читали книги и слушали сказки».

«Муж» одной из женщин начал странно поглядывать на меня. «Жена» растерялась.

Режиссер — верней сказать, глава общины, «добрый человек» — делал все возможное, чтобы объяснить своим землякам, как важно сохранять обычаи и традиции, обрабатывать землю, просить, чтобы и в нынешнем году она оказалась так же щедра к крестьянам, как и в прошлом. Я же говорила только о любви.

— Он уверяет вас, что земля любит ритуалы? А я обещаю вам: если будете крепко любить друг друга, соберете богатый урожай, ибо любовь — это чувство, преображающее все. Но что я вижу? Дружбу. Страсть иссякла и улетучилась давным-давно, потому что вы привыкли друг к другу. И по этой причине земля дает вам ровно столько, сколько давала в прошлом году, не больше и не меньше. И по этой же причине в темных глубинах ваших душ живет безмолвная жалоба на то, что ничего в вашей жизни не меняется. Почему же? Да потому, что вы тщитесь управлять силой, способной все преобразовать. Ради чего? Ради того, чтобы в вашей жизни не было по-прежнему вызова.

«Добрый человек» отвечал мне:

— Наша община выжила потому, что уважала законы. Сама любовь управлялась ими. Тот, кто поддается страстям, не беря в расчет общего блага, вечно будет пребывать в тоске и смятении, в страхе ранить свою прежнюю избранницу, рассердить свою новую подругу, потерять все, что построил и приобрел. Чужестранка, лишенная всяких уз и прошлого, вольна говорить все, что ей вздумается, но она не ведает, какие трудности одолевали мы, пока не оказались там, где пребываем ныне. Не знает, на какие жертвы шли мы ради своих детей. Не догадывается, что мы трудимся неустанно, чтобы земля была щедра к нам, чтобы мир осенял наши дома, чтобы на черный день был запас продовольствия.

В течение часа я защищала всепожирающую страсть, а «добрый человек» говорил о том чувстве, которое приносит мир и спокойствие. А под конец он замолчал, все собрались вокруг него, и в наступившей тишине слышался только мой голос.

Я исполнила свою роль с воодушевлением и верой, о которых даже не подозревала, но все же моя чужестранка покидала деревню, так никого и не убедив.

И я была этому очень, очень рада.

Хирон Райан,
журналист

*О*дин мой старинный приятель любил повторять: «Четверть всех знаний мы получаем от учителей, четверть — слушая самих себя, четверть даруют нам друзья, а еще четверть — прожитые годы». Но в тот день, когда мы впервые собрались у Афины, которая намеревалась окончить лекцию, прерванную в театре, все мы учились у... право, затрудняюсь сказать.

Хозяйка вместе с сыном принимала нас в маленькой гостиной — белой и пустой, если не считать тумбы с музыкальным центром и стопки компакт-дисков. Присутствие мальчика меня удивило — ему, наверно, скучно будет, подумал я и стал ждать, что Афина начнет с того места, где остановилась в прошлый раз. Но у нее были другие намерения: она объявила, что поставит диск с записями сибирской музыки, а мы все должны будем просто слушать.

И больше ничего.

— Медитация не оказывает на меня никакого воздействия, — сказала она. — Мне смешно смотреть, как люди с закрытыми глазами, с улыбкой на устах, с серьезными лицами, с высокомерным видом сидят, сосредоточившись неизвестно на чем — а верней, ни на чем — в полнейшем убеждении, что входят в контакт с Богом или Богиней. Мы, по крайней мере, будем вместе слушать музыку.

Снова почудилось мне, что Афина не вполне отдает себе отчет в своих действиях. Но у нее собралась почти вся труппа во главе с режиссером — если верить Андреа, он был здесь как лазутчик во вражьем стане.

Музыка стихла.

— А теперь танцуйте — но в ритме, который не имеет совершенно ничего общего с мелодией.

Она снова поставила диск, прибавила громкости, и тело ее задвигалось — причем не очень-то изящно. Из всех присутствующих ее примеру последовал лишь один пожилой актер, в пьесе игравший роль пьяного короля. Больше никто даже не пошевелился — все испытывали некоторую неловкость. Одна из актрис взглянула на часы — а прошло-то всего-навсего десять минут.

Афина остановилась, обвела всех взглядом:

— Чего стоите?

— Мне... мне кажется нелепым делать это... — робко произнесла одна из актрис. — Мы ведь пытаемся постичь гармонию, а не ее противоположность.

— И все же делайте, что я говорю. Желаете получить теоретическое обоснование? Пожалуйста: перемены происходят лишь тогда, когда мы идем против того, наперекор тому, к чему привыкли.

Она обернулась к «королю»:

— Почему вы решились танцевать, не попадая в такт?

— Все очень просто — у меня совершенно нет чувства ритма.

Все рассмеялись, и темная тучка неприязни рассеялась.

— Что ж, я начну сначала, а вы можете либо следовать мне, либо уйти — на этот раз я решаю, когда истечет время моей лекции. Одна из самых агрессивных вещей, которые может делать человек, — идти против того, что ему кажется красивым. Этим мы сегодня и займемся. Мы будем танцевать *плохо*. Мы все!

Это было всего лишь очередное упражнение, и, чтобы не ставить хозяйку в неловкое положение, все мы подчинились. Я боролся с самим собой, одолевая искушение следовать этому чудесному, завораживающему ритму ударных, и мне казалось — я нападаю на музыкантов, исполнявших мелодию, на композитора, создавшего ее. Но тело мое постоянно противилось этой дисгармонии, и приходилось подчинять его моей воле. С нами танцевал и Виорель, заливавшийся смехом. Но вот в какой-то момент он остановился и сел на пол — слишком больших усилий стоил ему этот танец. На середине аккорда музыка оборвалась.

— Ждите.

Мы ждали.

— Сейчас я сделаю то, чего не делала раньше никогда.

Афина зажмурилась, закрыла лицо ладонями.

— Я никогда еще не танцевала, не попадая в ритм...

Стало быть, это испытание далось ей тяжелей, чем каждому из нас.

The Saint

TRAICTE

ENSEIGNANT
EN BREF LES CAVSES DES
MALEFICES, SORTILEGES ET
enchanteries, tant des Ligatures & neuds
d'esguillettes pour empescher l'action
exercice du mar

— Мне плохо...

Все мы, включая режиссера, вскочили. Андреа, метнув в меня яростный взгляд, все же направилась к Афине. Но прежде чем успела дотронуться до нее, та попросила всех вернуться на свои места.

— Может быть, кто-нибудь хочет высказаться? — голос ее был слаб и подрагивал, а лицо она по-прежнему закрывала руками.

— Я хочу.

Это была Андреа.

— Только сначала возьми моего сына, скажи ему, что со мной все в порядке... Мне надо побыть так...

Виорель и в самом деле выглядел напуганным. Андреа посадила его к себе на колени, стала успокаивать.

— Так что ты хотела сказать?

— Ничего. Я передумала.

— Это ребенок заставил тебя передумать. Продолжай.

Афина медленно отняла руки от лица, подняла голову, лицо ее было неузнаваемо.

— Не стану.

— Как хочешь. А ты, — она показала на старого актера, — завтра же сходи к врачу. То, что ты всю ночь не можешь заснуть и поминутно бегаешь в туалет, — это серьезно. У тебя — рак простаты.

Тот побледнел.

— А ты, — теперь она обращалась к режиссеру, — определись со своей ориентацией. Не бойся. Признайся самому себе, что тебя влечет к мужчинам.

— Что ты такое...

— Не перебивай. Я говорю это не из-за Афины. Я имею в виду всего лишь твою сексуальность. Ты любишь мужчин, и ничего плохого я в этом не вижу.

Как это понимать — «не из-за Афины»?! Она и *есть* Афина!

— А ты, — она повернулась ко мне, — подойди сюда. Ближе! Стань на колени.

Боясь рассердить Андреа, стесняясь всех остальных, я все же повиновался.

— Опусти голову. Дай мне пощупать твой затылок.

Я чувствовал только, как ее пальцы чуть сдавили мне голову — и ничего, кроме этого. Прошло не меньше минуты, прежде чем она приказала мне подняться и отойти на место.

— Тебе больше никогда не понадобятся снотворные. Отныне ты позабудешь, что такое бессонница.

Я взглянул на Андреа, ожидая, что она подаст какую-нибудь реплику, но она была ошарашена не меньше, чем я.

Подняла руку молоденькая актриса:

— Можно мне?.. Но я хочу знать, к кому обращаюсь.

— Зови меня Айя-София.

— Я хочу спросить...

Да, по возрасту она была самой юной в труппе. Смущенно обвела всех присутствующих взглядом, но режиссер кивнул, позволяя продолжить.

— Хочу спросить, хорошо ли сейчас моей матери?

— Она — рядом с тобой. Она сделала так, что вчера, выходя из дому, ты забыла кошелек. Вернулась, но обнаружила, что не можешь войти — ключ остался внутри.

Ты потеряла целый час, разыскивая слесаря, хотя у тебя была назначена важная встреча с человеком, который смог бы устроить тебя на хорошую работу. Но если бы все получилось, как ты рассчитывала, через полгода ты погибла бы в автокатастрофе. Забытый кошелек изменил твою жизнь.

Девушка заплакала.

— Кто еще хочет спросить?

Режиссер вскинул руку:

— Он любит меня?

Значит, это правда?! История с забытым кошельком вызвала у всех вихрь эмоций.

— Это — неправильный вопрос. Вам нужно знать другое — способны ли вы дать любовь, которая нужна *ему*. А что выйдет — не важно. Чувствовать в себе способность любить — этого уже достаточно. Если не он, то будет кто-нибудь другой. Потому что вы открыли источник, отвалили камень, и ударившая струя затопит ваш мир. Не старайтесь держаться в отдалении, чтобы видеть, как будут развиваться события, и не пытайтесь загодя убедиться, что сделанный вами шаг будет верен. Что дадите, то и получите — хоть иногда совсем не оттуда, откуда ждете.

Эти слова относились и ко мне тоже. Афина — или кто это теперь был? — повернулась к Андреа.

— Ты!

Я почувствовал, как кровь застыла у меня в жилах.

— Приготовься к тому, чтобы потерять вселенную, которую сотворила.

— Что такое «вселенная»?

— Это — то, что ты считаешь уже существующим. Ты сковала свой мир, но знаешь, что его нужно освободить. А я знаю — ты понимаешь, о чем я говорю, хоть и предпочла бы никогда не слышать это.

— Да, понимаю.

Я был уверен: речь — обо мне. Неужели Афина устроила этот спектакль ради меня?

— На этом — все, — произнесла она. — Принесите мне ребенка.

Виорель, напуганный преображением матери, упирался, но Андреа ласково взяла его за руки и подвела к ней.

Афина — или Айя-София, или Шерин, не важно, как звали ее, — ощупала затылок мальчика, точно так же, как за несколько минут до этого — мой.

— Пусть не пугает тебя то, что ты увидел здесь, сынок. Не пытайся отринуть это, ибо в конце концов оно уйдет само. Постарайся по мере сил призвать к себе ангелов. Сейчас тебе страшно — но не так, как должно быть страшно, потому что в этой комнате мы с тобой — не одни. Ты перестал смеяться и танцевать, увидав, как я обняла твою маму и попросила позволения говорить ее устами. Знай, что она разрешила мне это — иначе ничего бы не было. Я всегда появлялась в образе света, я и сейчас остаюсь в нем, но сегодня решила заговорить.

Мальчик обнял ее.

— Вы можете идти. Дайте мне побыть с ним наедине.

И мы двинулись к выходу, оставляя мать и сына. Возвращаясь на такси домой, я попытался было заговорить с Андреа, но она попросила — если уж непременно надо вести беседу, не затрагивать в ней то, что происходило у нас на глазах.

И я затих. Мою душу одновременно переполняла печаль — потерять Андреа было бы очень трудно для меня — и осеняло глубокое умиротворение: недавние события привели к переменам, избавив меня от сомнительного удовольствия признаваться женщине, которую я сильно люблю, в том, что влюблён и в другую.

Так что в этом случае я предпочёл замолчать. Когда приехали домой, я включил телевизор, Андреа ушла в ванную. Я закрыл глаза, а когда открыл их, в комнате было совсем светло — оказывается, я проспал десять часов. Андреа оставила мне записку — не хотела меня будить, ушла в театр, сварила кофе... Записка была весьма романтично украшена сердечком и отпечатком густо накрашенных губ.

Я понял, что она ни в малейшей степени не намерена «отдавать свою вселенную» без боя. Она собирается бороться. А моя жизнь станет сущим кошмаром.

Когда ближе к вечеру она позвонила, голос её звучал как всегда. Рассказала, что старый актёр был у врача, и тот определил, что предстательная железа воспалена. Анализ крови показал повышенное содержание ПСА (*ПСА — простатический специфический антиген, вещество белковой природы, которое вырабатывается клетками предстательной железы.*). Предстоит сделать биопсию, но, судя по клинической картине, есть высокая вероятность злокачественной опухоли.

— Доктор сказал ему: вам повезло, даже если события пойдут по самому неблагоприятному варианту, возможна операция, при которой шансов на полное выздоровление — 99 из 100.

Дейдра О'Нил,
она же Эдда

𝒦акая там еще Айя-София! Это была прежняя Афина, но Афина, прикоснувшаяся к самой глуби той реки, что течет через душу, то есть установившая связь с Матерью.

Она заглянула в другую реальность, увидела, что там происходит, — только и всего. Мать молоденькой актрисы умерла и находится там, где времени не существует, а потому способна отклонить вектор события. А мы, живые, ограничены познанием настоящего. Между прочим, это не так уж мало: распознать тлеющую болезнь, пока она еще не успела развиться, прикоснуться к нервным центрам, высвободить энергию — все это нам по плечу.

Разумеется, многие погибли на кострах, многих ждало изгнание, многие спрятали и угасили искру Великой Матери в своей душе. Я никогда не побуждала Афину вступать в контакт с Могуществом. Она сама решилась на это, ибо Мать подавала ей знаки — то являясь в виде света, когда Афина танцевала, то превращаясь в буквы, когда она изучала каллиграфию, показывалась то в пламени свечи, то в глубине зеркала. Не знала моя ученица, как уживаться с Нею, — но лишь до тех пор, пока один ее поступок не вызвал к жизни всю эту череду происшествий.

Афина, всем и всегда твердившая о необходимости быть другими, ничем, по сути дела, не отличалась от остальных смертных. Она двигалась по жизни в своем ритме, со своей, так сказать, «крейсерской скоростью». Была любопытней, чем другие? Возможно. Умела преодолевать свои житейские трудности тем, что не соглашалась считать себя жертвой? Несомненно. Испытывала необходимость разделить с другими — будь то служащие банка или актеры — приобретенные познания? Вот на этот вопрос нельзя ответить однозначно: иногда — испытывала, а иногда я старалась побудить ее к этому, ибо человек не предназначен для одиночества и, взглянув на себя чужими глазами, лучше постигает свою суть.

Но этим мое вмешательство исчерпывалось.

Ибо Мать в тот вечер сама пожелала незримо появиться у Афины и, быть может, шепнуть ей на ухо нечто вроде: «...иди наперекор всему, что знаешь и умеешь. Ты изумительно владеешь ритмом — сделай так, чтобы он прошел через твое тело, но не подчиняйся ему». И потому Афина предложила актерам это упражнение: сфера ее бессознательного уже была подготовлена к общению с Матерью, но сама она всегда была настроена на одну и ту же волну, и это не давало внешним элементам возможности проявиться.

Со мной произошло нечто подобное. Наилучший способ погрузиться в медитацию, войти в контакт со светом — это вязание, а вязать меня еще в детстве научила мама. Я умела считать петли, двигать спицами, создавать красивые вещи через эту однообразно повторяющуюся гармонию. Но однажды мой покровитель попросил меня вязать совсем иначе — неразумно, нерационально! Мне, привыкшей и наученной работать терпеливо, усидчиво, аккуратно, это было как нож острый. Но покровитель настаивал, чтобы я сделала отвратительную работу.

Битых два часа, перебарывая головную боль, я считала все это вздором и нелепостью, но не могла допустить, чтобы спицы вели мои руки, а не наоборот. Сделать что-нибудь не то способен каждый, зачем надо было просить об этом меня? Потому что он знал — я одержима страстью к геометрической четкости и к совершенству.

Но вот внезапно это произошло — спицы замерли, я ощутила внутри себя некую огромную пустоту, тотчас заполнившуюся теплым, любящим, душистым, дружелюбным *присутствием*. И все вокруг преобразилось, и мне захотелось говорить такое, на что в обычном своем состоянии я никогда бы не решилась. Нет, я оставалась прежней, хотя — допустим такой парадокс — уже не была тем человеком, в оболочке которого привыкла жить столько лет.

И вот, во всеоружии собственного опыта, я могу «видеть», что произошло в тот вечер: душа Афины следовала звукам музыки, тогда как тело ее двигалось в противоположном направлении. По прошествии неко-

торого времени душа отделилась от тела, и в открывше-
еся пространство наконец смогла проникнуть Мать.

Вернее — там появилась искорка Матери. Древняя,
но выглядящая юной. Мудрая, но не всемогущая. Осо-
бенная, но лишенная всякой спеси. Изменилось восприятие мира, и она обрела способность видеть то же,
что различала когда-то в детстве — параллельные все-
ленные людей этого мира. В такие мгновения мы можем
видеть не только физические оболочки людей, но и их
чувства. Говорят — и я верю этому, — таким свойством
обладают и кошки.

Между миром вещественным и миром духовным существует нечто вроде занавеса, меняющего свой цвет,
плотность, освещенность. Мистики называют его «ау-
рой». Когда этот покров снят, все становится простым:
аура рассказывает обо всем, что происходит. Случись
мне в тот вечер быть у Афины, она видела бы вокруг
моего тела лиловое свечение с несколькими большими желтыми пятнами. И это значило бы, что впереди у
меня еще долгий путь и что я еще не выполнила предна-
значенное мне на этом свете.

Есть еще и то, что люди называют «призраками».
Это — случай с матерью той молоденькой актрисы,
единственный, впрочем, случай, где судьба должна была
быть изменена. Я почти убеждена в том, что девушка
еще до того, как задала свой вопрос, знала — мать находится рядом с нею. Единственное, что удивило ее, — это
история с кошельком.

И все гости Афины, прежде чем начать этот танец
поперек ритма и такта, испытывали смущение. Почему?
Потому что привыкли «все делать как следует». Нико-

му не нравятся промахи и ошибки, особенно когда мы сами сознаем, что дали маху. Никому — и Афина здесь не исключение: ей тоже нелегко далось предложение, идущее вразрез со всем, что она любила.

Я очень рада, что в тот миг победа осталась за Матерью. Один спасся от рака, другой определил наконец истинную природу своей сексуальности, третий сможет теперь выбросить снотворные таблетки. И все это потому, что Афина сломала привычный ритм, ударив по тормозам в тот миг, когда неслась на предельной скорости. И все перевернула вверх дном.

Вернусь к моему вязанию: я пользовалась этим занятием еще какое-то время — пока не научилась вызывать у себя это *присутствие*, не прибегая ни к каким уловкам. Я узнала его и привыкла к нему. То же самое произошло и с Афиной — как только мы узнаем, где находятся Врата Восприятия, уже не составляет труда отворить их. Надо лишь привыкнуть к нашему «странному» поведению.

Остается добавить, что вязать я стала быстрее и лучше, точно так же, как и в танце Афины — после того, как она сломала барьеры, — прибавилось и души, и грации.

Андреа Мак-Кейн,
актриса

*М*ало сказать, что история эта получила широкую огласку, — она распространялась, как лесной пожар. В свободные от репетиций и спектаклей часы все мы набивались в дом Афины, приводя с собой друзей. Она вновь заставила нас танцевать, не слушая ритма, не попадая в такт, словно нуждалась в коллективной энергии, чтобы встретиться с Айя-Софией. Сын ее и в этот раз был здесь, и я наблюдала за ним. Когда он сел на диван, музыка оборвалась и начался транс.

Затем последовали вопросы. Как и следовало ожидать, первые три касались любви — будет ли он жить со мной, любит ли она меня, не изменяет ли он мне. Афина хранила молчание. Задавшая четвертый безответный вопрос продолжала допытываться:

— Ну, так как все-таки — изменяет он мне или нет?

— Я — Айя-София, мировая мудрость. Я сотворила мир с помощью одной лишь Любви. Я — начало начал, а до меня не было ничего, кроме хаоса.

А потому, если кто-нибудь из вас хочет управлять силами, победившими и преодолевшими хаос, не обращайтесь к Айя-Софии с вопросами. Для меня любовь заполняет все. Она не может быть желанной — потому что несет в самой себе свой конец. Не может предать, ибо не связана с обладанием. Не может быть удержана, ибо, подобно реке, преодолеет все препоны. Тому, кто желает властвовать над любовью, придется перекрыть источник, питающий ее, и в этом случае пусть не сетует он, что вода, которую удастся ему собрать, будет гнилой.

Она обвела взглядом всех присутствующих — большая их часть была здесь впервые — и начала перечислять то, что прочла у них в глазах: страх болезней, проблемы на работе, нелады с детьми, сексуальность, нереализованные возможности, невостребованные способности. Помню, как она обратилась к женщине лет тридцати:

— Твой отец вдалбливал тебе, как должны идти дела, как должна вести себя женщина. Ты всегда жила наперекор своим мечтам и никогда не проявляла свое «хочу». Оно заменялось «нужно», «должно» или ожиданием. Но ведь ты прекрасно поешь. Год занятий — и ты сможешь переменить свою судьбу.

— Я замужем... У меня ребенок.

— У Афины тоже есть сын. А твой муж поначалу будет возражать, но потом примет это как должное. И не надо быть Айя-Софией, чтобы предсказать это.

— Мне поздно учиться пению...

— Ты сама отказываешься принять себя такой, какова ты на самом деле. Но это уж не мое дело. Я сказала то, что должна была сказать.

И каждый, кто стоял в этой маленькой комнате, — потому что сесть было некуда, — стоял и обливался потом, хотя была еще зима, и поначалу считал все происходящее полной ерундой, поочередно получал наставление от Айя-Софии.

Я была последней:

— Оставайся, если хочешь, чтобы суть твоя перестала двоиться.

Сегодня я не держала Виореля на руках — он с интересом наблюдал за таинством, и мне показалось, что слов матери, сказанных ему в прошлый раз, хватило, чтобы прогнать его страх.

Я кивнула. Не в пример первой встрече, когда по ее просьбе все просто ушли, оставив ее с сыном, теперь Айя-София дала поучение до окончания ритуала.

— Вы здесь — не затем, чтобы получать однозначные ответы; мое предназначение — в том, чтобы побуждать вас задавать вопросы. В прошлом правители и подданные вопрошали оракулов, прося открыть им будущее. Но будущее — прихотливо и переменчиво, ибо его ведут решения, принимаемые сейчас, в настоящем. Крутите педали не переставая, ибо если велосипед остановится — вы упадете.

Тех, кто сейчас — на полу, тех, кто пришел к Айя-Софии для того лишь, чтобы она подтвердила приятную и нужную им истину, я прошу — больше не появляйтесь здесь. Судьба неумолима к людям, желающим жить в уже не существующей вселенной. Новый мир принадлежит Великой Матери, явившейся вместе с Любовью отделить небесную твердь от вод. Кто уверовал, что побежден, всегда будет терпеть поражение. Кто решил, что уже не сможет действовать иначе, будет уничтожен рутиной. Кто захотел воспрепятствовать переменам, будет обращен в прах. Прокляты будут те, кто не танцует и не дает танцевать другим!

Глаза ее пылали.

— Теперь идите.

Все потянулись к дверям, и я видела на лицах у многих растерянность. Они хотели получить душевное утешение, а их едва ли не оскорбили. Они пришли узнать, как управлять любовью, а услышали, что всепожирающее пламя никогда не перестанет воспламенять все вокруг себя. Они хотели подтверждения правильности своих поступков — ибо их жены, мужья и хозяева были ими довольны, — а вместо этого в них вселили сомнение.

Впрочем, кое-кто улыбался. Они сумели осознать, как важен танец, и теперь нет сомнений, что с сегодняшнего вечера они позволят своим телам и душам предаваться ему — даже если за это, как водится, придется платить.

А в комнате остались только мальчик, Айя-София, Хирон и я.

— Я хотела говорить с тобой наедине.

Не произнеся ни слова, он взял свое пальто и вышел.

Айя-София смотрела на меня. И мало-помалу у меня на глазах превращалась в Афину. Есть только один способ описать это превращение: представьте себе чемто огорченного и раздосадованного ребенка, но вот он успокаивается, и по мере того, как злость перестаёт искажать его черты, начинает казаться, будто перед нами — совсем другое существо. А то, прежнее, словно растаяло в воздухе вместе с чувством, потерявшим свою сосредоточенность.

Она казалась безмерно утомленной.

— Приготовь мне чаю.

Она мне приказывает! И теперь я видела не воплощение Мирового Разума, а женщину, которой мой любовник если пока и не увлекся, то весьма заинтересовался.

Но решив, что приготовление чая не задевает моего самоуважения, я пошла на кухню, вскипятила воду, заварила ромашку и вернулась в комнату. Виорель спал у матери на руках.

— Я не нравлюсь тебе.

Я промолчала.

— И ты мне не нравишься, — продолжала она. — Ты — хороша собой, элегантна, у тебя большой талант актрисы, ни культурой, ни образованностью я никогда не смогу сравняться с тобой, хотя моя семья в свое время приложила к этому большие усилия. Но ты — высокомерна, недоверчива и не уверена в себе. Как сказала Айя-София, в тебе заключены сразу двое.

— Вот не знала, что ты запомнила слова, произнесенные в трансе, потому что в таком случае в тебе тоже два существа — Афина и Айя-София.

— У меня тоже могут быть два имени, но я — едина. Или во мне воплощены все люди, сколько ни есть их на свете. Именно поэтому та искра, что вспыхивает во мне в миг транса, дает мне точные указания. Да, я пребываю почти в бесчувствии, но произносимые мною слова идут из какой-то неведомой точки в глубине меня, как если бы Великая Мать вскармливала меня своим молоком — тем, что течет через наши души и несет знание по всей планете.

И когда на прошлой неделе я впервые вступила в контакт с Нею в своем новом качестве, первое, что было мне сказано, я сочла сущей нелепостью. Она велела мне обучать тебя.

И, помолчав, добавила:

— Разумеется, я подумала, что брежу. Потому что не испытываю к тебе ни малейшей симпатии.

И снова замолчала, на этот раз — надолго.

— Но сегодня Источник повторил то же послание. Так что выбор — за тобой.

— Почему ты называешь его Айя-София?

— Это была моя идея. Это название невероятно красивой мечети, которую я видела в книге. Если хочешь, можешь стать моей ученицей. Не это ли стремление когда-то привело тебя сюда? Все эти новые обстоятельства в моей жизни, включая и открытие Айя-Софии, возникли оттого, что однажды ты появилась в дверях и сказала: «Я — актриса, мы ставим пьесу о женском лике Бога. От одного моего приятеля-журналиста я узнала, что вы бывали и в пустыне, и на Балканах, общались с цыганами и можете меня проконсультировать».

— И ты научишь меня всему, что знаешь сама?

— Всему, чего *не* знаю. Я буду учить тебя, одновременно постигая. Так я сказала тебе при нашей первой встрече и повторяю сейчас. Когда научу тому, что считаю нужным, каждый из нас пойдет дальше своей дорогой.

— И ты способна учить того, кто тебе не нравится?

— Я способна любить и уважать того, кто мне не нравится. Те два раза, что я впадала в транс, я различала твою ауру — никогда в жизни не приходилось мне встречать столь сильной. Ты сумеешь изменить этот мир, если примешь мое предложение.

— Ты научишь меня различать ауры?

— Я ведь и сама не знала, что владею этим даром, пока это не случилось в первый раз. Пойдешь по этому пути — тебе откроется и это.

Я поняла, что тоже способна любить человека, который мне не нравится. И сказала «да».

— Тогда давай превратим твое согласие в ритуал. Обряд забрасывает нас в неведомый мир, но мы знаем, что с тем, что находится там, шутить не надо. Мало сказать «да», необходимо поставить на карту собственную жизнь. Причем — не раздумывая. Если ты и впрямь такова, какой предстаешь в моем воображении, ты не станешь говорить: «Мне надо немного подумать». Ты скажешь...

— Я готова. Давай приступим. Где ты научилась этому обряду?

— Я буду учиться сейчас. Мне уже не надо ломать мой привычный ритм, чтобы возжечь в себе искру Великой Матери, — я уже знаю дверь, которую должна открыть, хоть она и запрятана среди бесчисленных входов и выходов. Мне нужно лишь, чтобы ты молчала.

Опять молчание!

Словно перед началом смертельного единоборства, мы замерли, не сводя друг с друга широко открытых глаз. Ритуалы! Я исполняла некоторые из них еще до того, как нажала кнопку звонка у дверей Афины. И все для того, чтобы в конце концов почувствовать себя малой малостью, оказавшись перед дверью, которая всегда была в поле моего зрения, но которую я не могла открыть. Ритуалы!

Афина же всего-навсего отпила немного принесенного мною чаю.

— Ритуал исполнен. Я попросила, чтобы ты что-нибудь сделала для меня, и ты сделала. Я приняла. Теперь твой черед попросить меня.

Первая моя мысль была о Хироне. Но я отогнала ее — не время!

— Разденься.

Она не спросила зачем. Взглянула на сына, убедилась, что он спит, и тотчас принялась стягивать свитер.

— Не надо, — остановила я ее. — Сама не знаю, почему попросила...

Но она продолжала раздеваться. За свитером последовала блузка, джинсы, лифчик — грудей красивей, чем эти, я еще не видала. Наконец она сняла трусики и выпрямилась, словно предлагая мне свою наготу.

— Благослови меня, — произнесла Афина.

Благословить моего «учителя»? Но первый шаг сделан, и на полпути останавливаться нельзя — и, смочив пальцы в чае, я окропила ее тело.

— Как это растение превратилось в напиток, как эта вода смешалась с травой, так и я благословляю тебя и прошу Великую Мать, чтобы вовеки не иссякал источник этой воды, чтобы земля, из которой пробилось это растение, всегда пребывала плодородной и щедрой.

Я сама удивилась, откуда взялись эти слова: они не сорвались с моих уст, не прозвучали извне. Я как будто всегда знала их, как будто в бессчетный раз давала благословление.

— Ты можешь одеться.

Но она остается голой, и по губам ее змеится улыбка. Чего она хочет? Если Айя-София умеет видеть ауры, она должна знать — у меня нет ни малейшей склонности к однополой любви.

— Минутку.

Она взяла сына на руки, отнесла его в спальню и сразу же вернулась.

— Разденься тоже.

Кто просит меня? Айя-София, говорившая мне о моем могучем потенциале, Айя-София, чьей прилежной ученицей я была? Или полузнакомая мне Афина, которая, судя по всему, способна на все, которую жизнь научила, что ради утоления любопытства можно и должно выйти за любые рамки?

Но мы вступили в поединок, где отступать нельзя и некуда. И, свободно и легко, не отводя взгляд, не стирая с лица улыбку, я сняла с себя одежду.

Она взяла меня за руку, мы сели на диван.

В течение следующего получаса проявились Афина и Айя-София; они хотели знать, каковы будут мои следующие шаги. И по мере того, как они вопрошали меня, я сознавала — все и в самом деле записано здесь передо мной, а двери неизменно были закрыты потому, что я не сознавала: никому на всем белом свете не позволено отворить их. Только мне. Мне одной.

Хирон Райан,

журналист

*С*екретарь редакции протягивает мне видеокассету, и мы идем туда, где можно просмотреть ее.

Это было снято 26 апреля 1986 года. На пленке запечатлена нормальная жизнь обычного города. Мужчина за столиком кафе. Мать с ребенком на улице. Озабоченные прохожие спешат на работу. Один или двое стоят на остановке автобуса. Площадь, скамейка, человек с газетой.

Но вот по экрану бегут горизонтальные полосы. Я встаю, чтобы нажать кнопку «*tracking*», но секретарь удерживает меня:

— Ничего-ничего. Смотрите дальше.

Продолжают мелькать кадры провинциального городка. Совершенно ничего примечательного — обычная повседневная жизнь.

— Вполне возможно, что кто-то из этих людей знает о катастрофе, случившейся в двух километрах отсюда. Возможно, они даже знают, что погибли тридцать человек. Это — много, но недостаточно, чтобы нарушить покой горожан.

На экране — школьные автобусы. Они останутся здесь надолго. Изображение совсем скверное.

— Нет, это не повреждение пленки. Это — радиация. Это видео снято КГБ, тайной полицией Советского Союза.

В ночь на 26 апреля, в 1:23 ночи, украинский городок Чернобыль постигла страшная техногенная катастрофа. Взорвался один из реакторов атомной электростанции, и уровень радиации в девяносто раз превысил тот, что был в Хиросиме. Все население подлежало немедленной эвакуации, однако о чрезвычайном происшествии не было даже объявлено, ибо правительство, как известно, ошибок не допускает. Лишь неделю спустя на последней странице местной газеты напечатали заметку в пять строк, где без объяснения причин сообщалось о гибели операторов АЭС. Как раз в этот день по всему Советскому Союзу отмечали 1 Мая, и в Киеве, столице Украины, люди пошли на демонстрацию, не зная, что в воздухе растворена незримая смерть.

И он заключил:

— Я хочу, чтобы вы отправились туда и сделали репортаж о том, что происходит в Чернобыле сейчас. Отныне вы — специальный корреспондент, ваше вознаграждение увеличивается на 20 процентов, и вы получаете право предлагать жанр статьи.

Мне бы нужно прыгать от радости, а меня обуяла глубочайшая печаль, которую я должен скрывать. Не стану же я объяснять, что в моей жизни есть две женщины, что я не хочу покидать Лондон и что на карту поставлены и жизнь, и душевное равновесие. Спрашиваю, когда должен вылетать, и слышу в ответ — как можно скорее, потому что ходят слухи, что другие страны значительно увеличивают производство ядерной энергии.

Мне все же удается найти лазейку: надо, мол, сперва проконсультироваться со специалистами, досконально изучить суть вопроса, а как только у меня будут все необходимые материалы, я отправлюсь в путь немедленно.

Шеф согласен — он жмет мне руку и поздравляет с повышением. Поговорить с Андреа не удается: когда я возвращаюсь домой, она еще в театре. Проваливаюсь в сон, а утром нахожу нежную записку, а на столе — кофе.

Иду на работу и, стараясь порадовать шефа, «повысившего качество моей жизни», обзваниваю специалистов по атомной энергетике и физиков-ядерщиков. Выясняется, что напрямую были затронуты катастрофой 9 миллионов людей во всем мире, причем из них — 3–4 миллиона детей. За первыми тридцатью погибшими последовали, по мнению Джона Гофманса, еще 475 тысяч человек, которые заболели неизлечимыми формами рака, а еще столько же хоть и выжили, но стали инвалидами.

Около двух тысяч городов и деревень просто перестали существовать. Согласно прогнозу Министерства здравоохранения Белоруссии в период с 2005 по 2010 годы следует ждать резкого повышения числа заболевших раком щитовидной железы. Еще один эксперт объясняет мне, что, кроме этих 9 миллионов, непосредственно подвергшихся облучению, еще 65 миллионов человек в разных странах мира пострадали косвенно — через зараженные радиацией продукты и воду.

Это — серьезное дело, заслуживающее почтительного отношения. Под вечер я сообщаю секретарю редакции, что смогу посетить Чернобыль не раньше, чем в годовщину аварии, а до тех пор соберу материалы, выслушаю мнения экспертов и посмотрю, какие меры предпринимает британское правительство. Шеф согласен.

Звоню Афине — она столько раз говорила, что ее возлюбленный служит в Скотланд-Ярде, что сейчас пришло наконец время попросить его об одолжении, тем более что гриф секретности с материалов о катастрофе снят, да и СССР больше нет. Она обещает переговорить со своим «другом», но предупреждает, что за успех не ручается.

Добавляет, что завтра уезжает в Шотландию, а вернется только к собранию группы.

— Какой группы?

Группы, отвечает она. Неужели все это уже вошло в наезженную колею? Когда же мы сможем встретиться, поговорить, прояснить все?

Но она уже дала отбой. Возвращаюсь домой, ужинаю в одиночестве, смотрю новости, заезжаю в театр за Андреа. Спектакль еще не кончился, и, к моему несказанному удивлению, в женщине на сцене я едва могу узнать ту, с которой прожил почти два года: в ее движениях появилось нечто завораживающее, а произносимые ею слова обрели непривычную силу. Отчужденно вглядываясь в эту незнакомку, я сознаю, что мне хочется, чтобы она была рядом со мной, — и спохватываюсь: она ведь и так рядом.

— Ну, как поговорили с Афиной? — спрашиваю я по дороге домой.

— Хорошо. А что у тебя на работе?

Не хочет отвечать — меняет тему. Рассказываю о своем повышении, о командировке в Чернобыль, но она слушает без особого интереса. Мне начинает чудиться, что я теряю прежнюю свою любовь, а новой не добился. События, впрочем, идут своим чередом: по возвращении она предлагает вместе принять душ, а затем мы оказываемся в постели. Но прежде она включила на полную громкость ту ритмичную музыку, которую мы слышали у Афины, и велела мне не думать о соседях — люди и так слишком озабочены из-за своих ближних и потому живут вполнакала.

То, что происходит дальше, выше моего понимания. Неужели женщина, которая с небывалой, дикой страстью занималась со мной любовью, наконец обрела подлинную природу своей сексуальности и помогла ей в этом — научила ее или разбудила — другая женщина?

Потому что, вцепясь в меня с невиданной прежде яростью, она повторяла без остановки одно и то же:

— Сегодня я — твой мужчина, а ты — моя женщина.

Так проходит около часа, в течение которого я познаю такое, на что никогда не отваживался раньше. В какие-то мгновения я даже испытывал стыд и едва сдерживался, чтобы не попросить ее остановиться, но она все равно бы не послушала, ибо шла на это осознанно. И мне оставалось лишь подчиняться, потому что выбора не было. Зато было очень любопытно.

Под конец я был в изнеможении, тогда как Андреа просто излучала энергию.

— Пока ты не заснул, хочу, чтобы ты знал. Если пойдешь вперед, секс позволит тебе заниматься любовью с богами и богинями. Сегодня ты испытал это на себе. Я хочу, чтобы ты заснул, зная — я разбудила Мать, дремавшую в тебе.

Мне хотелось спросить: «Тебя научила этому Афина?», но я не решился.

— Признайся — сегодня ночью тебе понравилось быть женщиной.

— Понравилось. Не знаю, как там дальше будет, но сегодня я чувствовал и страх, и ликование.

— Признайся — тебе всегда хотелось испытать то, что ты испытал сегодня.

Но все же одно дело — подчиняться Андреа, сжимая ее в объятиях, и совсем другое — хладнокровно разбирать впечатления. И я промолчал, хоть и не сомневался в том, что ответ ей и так известен.

— Так вот, — продолжала она. — Все это пребывало во мне, о чем я и не подозревала. И еще была маска, которая упала сегодня, когда я была на сцене. Ты заметил что-нибудь особенное?

— Конечно. От тебя исходил какой-то особый свет.

— Это — харизма: божественная сила, которая проявляется в мужчине и в женщине. Сверхъестественное могущество, которое никому не надо демонстрировать, ибо оно пробивает даже самых бесчувственных. Но проявляется оно лишь после того, как мы останемся нагими, умрем для мира и воскреснем для самих себя. Вчера вечером я умерла. Сегодня, выйдя на сцену, увидела, что в точности осуществляю свой выбор, и возродилась из пепла.

Ибо я всегда пыталась быть собой, пыталась, да не могла. Всегда хотела производить впечатление на окружающих, вела умные разговоры, не огорчала родителей и в то же время — шла на любые ухищрения, чтобы суметь делать то, что нравится. Я всегда торила себе путь с кровью, со слезами, напрягая всю силу воли, — а вчера поняла, что поступала неправильно. Моей мечте ничего этого не нужно: она требует лишь, чтобы я предалась ей, а если покажется, что страдаю, — стиснула зубы. Потому что страдание пройдет.

— К чему ты все это говоришь мне?

— Погоди. Проходя тем путем, где страдание кажется единственным правилом, я боролась. За то, что никакой борьбы не стоит. Это же как любовь: либо она есть, либо нет, и тогда никакой силой ее не пробудить.

Мы можем притвориться, что любим. Можем привыкнуть друг к другу. Можем испытывать дружеские, родственные чувства, быть во всем заодно, создать семью, каждую ночь заниматься сексом и даже получать наслаждение, и все равно — постоянно ощущать какое-то зияние, пустоту, нехватку чего-то очень важного. Так во имя чего я изучала все тонкости отношений между мужчиной и женщиной, зачем билась за то, что не стоит таких усилий?.. В том числе — и за тебя.

И сегодня, когда мы занимались любовью, когда я выкладывалась полностью и чувствовала, что и ты стараешься изо всех сил, я вдруг поняла, что старания эти мне больше не интересны. Я проведу с тобой ночь, а утром уйду. Мое таинство — театр, там я смогу выразить и развить то, что хочу.

Я чувствовал жгучее раскаянье — за то, что отправился в Трансильванию и там столкнулся с женщиной, вполне способной разрушить мою жизнь, что собрал первую «группу», что в ресторане признался в любви. В эту минуту я ненавидел Афину.

— Знаю, что ты сейчас думаешь, — произнесла Андреа. — Что твоя подруга основательно промыла мне мозги. Но ты ошибаешься.

— Я — мужчина, хоть сегодня в постели вел себя как женщина. Я — представитель вымирающего племени, потому что редко встречаю таких, как я. Немногие бы пошли на такой риск.

— Не сомневаюсь, и это лишь усиливает мое восхищение. Но неужели ты не спросишь меня, кто я такая, чего хочу, чего домогаюсь?

Я спросил.

— Хочу сразу всего. Хочу зверства и нежности. Хочу тревожить соседей, а потом пытаться успокоить их. И женщины в постели мне не нужны. Нужны мужчины, настоящие мужчины — такие, как ты, например. Пусть любят меня или пользуются мной, это не имеет значения — моя любовь больше этого. Хочу любить свободно и позволять всем, кто вокруг, вести себя так же.

И наконец: я говорила с Афиной только о тех простых вещах, которые высвобождают подавленную энергию. Это — секс, например. А можно просто идти по улице, повторяя: «Я — здесь и сейчас». Ничего особенного у нас с ней не было, никаких тайных ритуалов... Более или менее необычно в нашей встрече было лишь то, что обе мы были голые. Отныне мы будем видеться с нею по понедельникам, и если мне захочется что-нибудь сказать, я сделаю это лишь после *сеанса*, ибо вовсе не набиваюсь ей в подруги.

И точно так же она, когда захочет пооткровенничать, отправится в Шотландию к этой своей Эдде, которую, судя по всему, ты тоже знаешь, хоть никогда про нее не рассказывал мне.

— Да я ее и не помню!

Я почувствовал — Андреа понемногу успокаивается. Она сварила кофе, и мы выпили по чашке. Вновь стала улыбаться, в подробностях расспрашивать о моем повышении, сказала, что ее беспокоят эти сборища по понедельникам, потому что утром узнала, что друзья друзей собираются привести своих друзей, а помещение — небольшое. С неимоверным трудом мне удалось притвориться, что все это было всего лишь приступом ревности, нервным срывом или проявлением предменструального синдрома.

Я обнял ее, она прижалась к моему плечу, и, несмотря на усталость, я дождался, когда она уснет. Мне ничего не снилось в ту ночь, и никакие предчувствия меня не томили.

А когда проснулся утром, увидел — вещей ее нет, ключ лежит на столе, прощальной записки не оставлено.

Дейдра О'Нил,
она же Эдда

$\mathscr{H}$е счесть историй о ведьмах и феях, о сверхъестественных способностях и паранормальных явлениях, о детях, одержимых злыми духами. Не счесть фильмов, где показаны обряды и ритуалы, где звучат заклинания, где мелькают мечи и пентаграммы. Ну и ладно, пусть работает воображение, пусть эти этапы будут пройдены, а тот, кто пройдет через них и не даст себя обмануть, в конце концов непременно вступит в контакт с Традицией.

А истинная Традиция такова: учитель никогда не говорит ученику, что́ тот должен делать. Они всего лишь попутчики, испытывающие одно и то же сложное чувство «*отстранения*» при виде постоянно меняющихся впечатлений, раздвигающихся горизонтов, закрывающихся дверей, рек, которые иногда, кажется, перерезают дорогу. Только не всегда их надо переплывать — порою можно двинуться и по течению.

Между учителем и учеником одно отличие: первый боится чуть меньше, чем второй. И когда они садятся за стол или к костру, чтобы поговорить, более опытный предлагает: «Почему бы не сделать так и так?» Он никогда не скажет: «Иди туда-то и придешь туда, куда я пришел», ибо знает — нет двух схожих дорог, нет двух одинаковых судеб.

Настоящий учитель пробуждает в ученике смелость нарушить равновесие его мира, хотя он и сам опасается того, что уже повстречал на своем пути, и еще больше — того, что ждет за первым поворотом.

Когда-то в пылу воодушевления, столь присущего юности, я, едва окончив медицинский факультет, отправилась в Румынию в надежде помочь ближнему. Все это происходило в рамках какой-то правительственной программы. Чемоданы мои были набиты медикаментами, а голова — благороднейшими представлениями о том, как нужно вести себя людям, что необходимо для счастья, какие мечты следует лелеять в душе, не давая им угаснуть, и как именно должны развиваться отношения между людьми. Я прилетела в Бухарест — столицу страны, которой правил кровавый маньяк, — а оттуда отправилась в Трансильванию проводить массовую вакцинацию жителей.

Где мне было понимать тогда, что я была лишь пешкой в замысловатой шахматной партии, что невидимые руки манипулировали мною и моими идеалами, а высокие и благородные побуждения имели низменную подоплеку. Гуманизм объяснялся очень просто — укрепить правительство, возглавляемое сыном диктатора, и проникнуть на рынок оружия, где безраздельно господствовал Советский Союз.

Благие намерения разлетелись в пыль, когда я стала замечать, что вакцины просто-напросто не хватает, а в регионе свирепствуют другие болезни. Одну за другой я слала просьбы о помощи, но помощи не получала — мне отвечали, что меня не должно беспокоить ничего, кроме моих непосредственных обязанностей.

В постоянном чувстве беспомощности, кипя от возмущения, я видела вблизи ужасающую нищету и могла бы сделать многое, если бы мне прислали хоть немного денег, — но результаты не интересовали никого. Британское правительство хотело только статей в газетах, после чего можно было сказать избирателям, что оно направляет гуманитарные миссии в различные точки земного шара. Намерения у них были самые добрые, но, разумеется, — не в ущерб экспорту оружия.

В отчаянье и недоумении — что же это за чертов мир? — я ушла в заснеженный лес, изрыгая хулу на Господа, так несправедливо устроившего все. И когда присела у подножья дуба, ко мне приблизился мой хранитель. Сказал, что замерзну, а я ответила, что, как медик, знаю пределы человеческой выносливости и, почувствовав, что приближаюсь к ним, вернусь в лагерь. Спросила, что он делает здесь?

— Разговариваю с женщиной, которая слушает меня, в мире, где все мужчины глухи.

Я подумала, что он имеет в виду меня, но нет — оказалось, он говорит про лес. А потом, когда увидела, как он идет по лесу, размахивая руками и произнося слова, понять которые я была не в силах, душу мою осенил покой — в конце концов, не я одна в этом мире разговариваю сама с собой. Когда же собралась вернуться, он снова вышел мне навстречу.

— Я знаю, кто ты, — сказал он. — В деревне про тебя идет добрая слава — говорят, ты всегда в хорошем настроении и готова прийти на помощь другим. Но я вижу совсем другое — ярость и горькое разочарование.

Этот человек вполне мог оказаться агентом спецслужбы, но я все равно решила высказать все, что накипело, — пусть потом хоть арестовывают. Мы вместе двинулись к полевому госпиталю, где я работала. Я привела его в большую палатку — она была пуста: все мои коллеги ушли в город на праздник — и спросила, не хочет ли он выпить чего-нибудь.

— Я вас угощу, — ответил он, доставая из кармана бутылку *палинки* — местной фруктовой водки, славящейся своей крепостью.

Мы выпили, и я поняла, что опьянела, лишь в тот миг, когда, направляясь в туалет, споткнулась обо что-то и растянулась на полу.

— Не двигайся, — сказал он. — Вглядись в то, что у тебя перед глазами.

Я видела цепочку муравьев.

— Всем известно, что они умны, обладают памятью и способностью к организации. Им присущ даже дух самопожертвования. Летом они добывают пропитание, запасают его на зиму, а ранней весной вновь отправляются на работу. Если завтра ядерная война уничтожит наш мир, муравьи выживут.

— Откуда вы все это знаете?

— Изучал биологию.

— Какого же дьявола вы не трудитесь на благо своего несчастного народа? Зачем разгуливаете в одиночестве по лесу и разговариваете с деревьями?

— Во-первых, не в одиночестве: кроме деревьев, меня слышишь и ты. А на твой вопрос отвечу: я бросил биологию и занялся кузнечным делом.

Он помог мне подняться, и получилось это не без труда. Голова у меня по-прежнему кружилась, но я протрезвела настолько, что смогла понять: этот бедолага, хоть и окончил университет, работу не нашел. Я сказала, что подобное бывает и у меня на родине.

— Да нет же! Я оставил биологию, потому что хочу работать кузнецом. Меня с детства завораживало, как они бьют молотом по наковальне, порождая странную музыку, рассыпая вокруг себя снопы искр, как суют раскаленную добела заготовку в воду и все окутывается шипящим паром. Биолог я был невезучий, потому что мечтал заставить твердый металл стать мягким и текучим. Пока однажды не появился хранитель.

— Хранитель?

— Предположим, что, увидав, как эти муравьи делают именно то, на что они запрограммированы, ты воскликнешь: «Это — чудо!» В генетический код муравьев-охранников заложена готовность пожертвовать собой ради царицы, рабочие муравьи перетаскивают тяжести, вдесятеро превышающие их собственный вес, архитекторы роют тоннели, которым не страшны ни наводнения, ни бури. Муравьи вступают в смертельные битвы с врагами, страдают во имя своей общины и никогда не спрашивают: «А что мы тут делаем?»

Люди пытаются создать подобие этого идеально устроенного общества, и я, как биолог, выполнял свои обязанности, пока некто не задал мне вопрос: «Ты доволен тем, что делаешь?»

Я ответил: разумеется, я приношу пользу моему народу. «И этого тебе достаточно?»

А я не знал, достаточно или нет, но сказал, что спрашивающий кажется мне человеком высокомерным и себялюбивым. «Может быть, — отвечал он. — Однако добьешься ты того лишь, что повторяется с тех пор, когда человек стал понимать человека, — поддержания упорядоченности». «Мир идет вперед», — возразил я. Тогда он спросил, знаю ли я историю. Еще бы мне не знать. Но разве тысячи лет назад люди не умели возводить исполинские постройки вроде египетских пирамид? Разве не были мы способны поклоняться богам, ткать, добывать огонь, обзаводиться женами и любовницами, передавать послания? Ну разумеется, умели. Но несмотря на то, что мы сумели создать такую организацию, при которой даровые рабы заменены рабами, получающими жалованье, все прорывы и достижения существуют лишь в сфере науки. А люди задают себе те же вопросы, что и их далекие предки. Иными словами, они не продвинулись ни на пядь. В этот миг я и понял, что задающий такие вопросы послан небесами, это — ангел, это — хранитель.

— Почему вы называете его «хранителем»?

— Он открыл мне существование двух традиций. Одна заставляет нас повторять одно и то же из века в век. Другая открывает перед нами двери в неведомое. Но она, эта вторая, — неудобна, беспокойна и опасна, потому что, обретя много приверженцев, может в конце концов уничтожить общество, с такими неимоверными трудами и усилиями сумевшее сорганизоваться по модели муравейника. Именно по этой причине вторая традиция стала тайной и сумела выжить на протяжении стольких столетий лишь благодаря тому, что ее адепты выработали свой тайный символический язык.

— Вы продолжали задавать ему вопросы?

— Ну конечно! Хоть я и отрицал это, он знал, что меня не удовлетворяет то, чем я занимаюсь. «Я опасаюсь делать шаги, ведущие неведомо куда, но, невзирая на мои страхи, к концу дня жизнь представляется мне более интересной», — заметил мой хранитель. Я настойчиво расспрашивал его о традиции, и он ответил что-то вроде: «...пока Бог будет только мужчиной, у нас всегда будет пропитание и кров. Когда Мать наконец отвоюет свою свободу, не исключено, что нам придется небом укрываться и любовью питаться, а впрочем, может быть, мы сумеем найти равновесие между трудом и чувством».

И тот, кому суждено было стать моим хранителем, осведомился: «Кем бы ты стал, если бы не выбрал для себя биологию?» «Кузнецом, — ответил я, — да только денег нет». Он ответил: «Когда устанешь делать не то, для чего был призван в этот мир, ты познаешь радость жизни, стуча молотом и раздувая горн. Со временем поймешь, что это дает нечто большее, чем радость: жизнь обретает смысл». «Как следовать мне традиции, о которой ты говоришь?» — «Начни делать то, что нравится, и все остальное скоро выявится. Уверуй, что Бог — это Мать, пестуй Ее детей, не допускай, чтобы с ними случилась беда. Я так и сделал и, как видишь, выжил. Потом выяснилось, что я такой был не один — но их записали в легион сумасшедших, безответственных суеверов. С тех пор как стоит этот мир, они отыскивают в природе заключенное в ней вдохновение. Мы строим пирамиды, но и развиваем систему символов».

С этими словами он ушел, и больше я никогда его не видел.

Знаю только одно: с той минуты символы стали возникать повсюду, ибо разговор этот открыл мне глаза. Мне нелегко это далось, но все же однажды вечером я сообщил домашним, что, хотя у меня есть все, о чем только может мечтать человек, я несчастлив, ибо родился на свет, чтобы стать кузнецом. «Ты родился цыганом, — возмущенно вскричала жена, — ты претерпел столько унижений, чтобы достичь того, что достиг, а теперь хочешь вернуться назад?!» А сын был страшно доволен, потому что ему тоже нравились деревенские кузницы, а вот научные лаборатории в больших городах он терпеть не мог.

И я начал делить время между биологическими исследованиями и работой в подручных у кузнеца. Я сильно уставал, но жилось мне веселей, чем прежде. И пришел день, когда я уволился и открыл собственную кузню. Поначалу дела шли плохо: стоило мне лишь поверить в жизнь, как положение наше ухудшилось. Но однажды, работая, я заметил перед собой символ.

Я получаю необработанный кусок железа и должен превратить его в деталь автомобиля, кухонной утвари или какой-нибудь сельскохозяйственной машины. Как это делается? Прежде всего, заготовка при адской температуре раскаляется докрасна. Затем я беру самый тяжелый молот и несколькими безжалостными ударами придаю ей нужную форму. Затем погружаю в бадью с холодной водой, и вся кузница окутывается шипящим паром, а железка трещит и вопит от резкого перепада температур.

Все это надо повторять до тех пор, пока не добьешься своего, — одного раза недостаточно.

Кузнец надолго замолчал, потом закурил и продолжил:

— Бывает так, что железо, попавшее ко мне в руки, не выдерживает такого обращения. От смены жара и холода, от ударов оно покрывается трещинами. И я знаю, что уже никогда не станет оно хорошим лемехом для плуга или валом. И тогда я просто отбрасываю его в кучу лома, которую ты видела у дверей моей мастерской.

Еще немного помолчав, он заговорил снова:

— Я знаю — Бог калит меня в пламени скорбей. Принимаю тяжелые удары молота, которые наносит мне жизнь. Порою чувствую себя таким же холодным, как вода, которой мучаю железо. Но прошу только об одном: «Боже мой, Мать моя, не отступайся, пока не придашь мне форму, желанную тебе. Делай, как сочтешь нужным и столько времени, сколько понадобится, — но только не выбрасывай меня в груду никчемных душ».

***

Когда завершился мой разговор с этим человеком, я, хоть и не вполне еще протрезвела, поняла, что отныне жизнь моя изменится. В подоплеке всего того, что мы познаем, лежит Традиция, и мне предстоит отправиться на поиски людей, которые сознательно или инстинктивно сумели обнаружить женскую ипостась Бога. Надо не поносить власти и их политические манипуляции, а делать то, что мне и вправду хотелось. А хотелось мне лечить людей.

Ресурсов никаких не имелось, и потому я сблизилась кое с кем из местных жителей, и они открыли мне мир лекарственных трав. Я стала сознавать, что существует народная традиция, уходящая корнями в седую старину и передаваемая из поколения в поколение через опыт, а не через набор технических приемов. Благодаря ей я сумела пройти гораздо дальше, нежели позволяли мои дарования, ведь теперь я находилась здесь не потому, что выполняла задание моих университетских руководителей, или способствовала экспорту оружия, или невольно пропагандировала какую-то политическую партию.

А потому, что мне нравилось лечить людей.

Я стала ближе к природе, к фольклору, к растениям. Вернувшись в Англию, спрашивала врачей: «Вы всегда точно знаете, какое лечение назначить, или иногда руководствуетесь интуицией?» И едва ли не все — ну, разумеется, после того, как лед отчуждения был сломан, — отвечали, что часто слышали некий голос, слышали и слушались его, а если пренебрегали им, лечение не шло. Конечно, они использовали весь арсенал современной медицины, однако знали — есть угол, темный закуток, где и сокрыт истинный смысл исцеления. И наилучшие решения принимались порой словно бы по наитию.

Мой хранитель вывел мой мир из равновесия, хоть и был всего лишь цыганом-кузнецом. У меня возникло обыкновение хотя бы раз в год приезжать к нему в деревню и обсуждать с ним, насколько меняется жизнь у нас перед глазами, как только мы решаемся взглянуть на вещи по-иному. Иногда я встречала там и других его учеников, и мы рассказывали друг другу о наших страхах, о наших победах. Хранитель говорил: «Мне тоже бывает страшно, но в такие минуты я открываю мудрость, находящуюся вне меня, и делаю следующий шаг».

Я много зарабатываю, практикуя в Эдинбурге, а зарабатывала бы еще больше, если бы переехала в Лондон. Но предпочитаю наслаждаться жизнью. Делаю, что нравится: сочетаю старинные способы лечения с самыми новейшими методиками. Пишу по этому поводу исследование, и многие представители «научного сообщества», прочитав мои статьи в медицинских журналах, решились наконец делать то, на что прежде не отваживались.

Не верю, что источник всех зол — это голова: нет, болезни существуют реально. Считаю, что изобретение антибиотиков и антивирусных препаратов — это огромный шаг вперед. Не собираюсь лечить аппендицит медитацией — тут понадобится своевременное и умелое хирургическое вмешательство. Сочетаю смелость и осторожность, технологию — с наитием. И достаточно благоразумна, чтобы не рассуждать об этом здесь, иначе меня немедленно объявят знахаркой, и тем самым многие жизни, которые могли бы быть спасены, будут загублены.

Впадая в сомнения, прошу помощи у Великой Матери. И Она ни разу еще не оставляла меня без ответа. Но неизменно советует мне быть скромной, и по крайней мере два или три раза я давала тот же совет Афине.

Но она, пребывая в ослеплении от только что открытого ею мира, не послушалась.

Лондонская газета от 24 августа 1994

ВЕДЬМА С ПОРТОБЕЛЛО

ЛОНДОН (© Jeremy Lutton)

«Это — одна из причин, по которой я не верю в Бога. Посмотрите лучше, как ведут себя те, кто верит!» Так отреагировал Роберт Уилсон, коммерсант с Портобелло-роуд.

Эта лондонская улица, известная во всем мире своими антикварными магазинами и субботними распродажами подержанных вещей, вчера вечером превратилась в поле битвы. Потребовалось вмешательство не менее пятидесяти полицейских из Кенсингтона и Челси, чтобы охладить страсти, однако пять человек все же пострадали — к счастью, несерьезно. Причиной побоища, продолжавшегося около двух часов, стал призыв преподобного Йена Бака покончить с «культом сатаны, свившим себе гнездо в самом сердце Англии».

По словам священника, на протяжении полугода группа подозрительных лиц не давала своим соседям покоя, устраивая в ночь на понедельник радения в честь сатаны под предводительством уроженки Ливана Шерин Х. Халиль, взявшей себе имя Афины, богини мудрости.

Число ее приверженцев, поначалу составлявшее около двух сотен человек, собиравшихся в помещении, которое некогда было складом зерновой фирмы, постепенно увеличивалось, так что на прошлой неделе еще такое же количество людей ожидали возможности проникнуть внутрь и принять участие в ритуале. Убедившись в том, что ни устные его просьбы и требования, ни письма в газеты не дают результатов, преподобный решил мобилизовать своих прихожан и призвал их в 19:00 собраться у склада и тем самым закрыть «сатанистам» доступ к их капищу.

«По получении первой жалобы мы направили по указанному адресу нашего сотрудника, однако он не нашел там ни наркотиков, ни признаков противоправных действий, — заявил офицер полиции, попросивший не называть его имени и должности, поскольку уже ведется расследование по поводу этого происшествия. — Музыка всегда прекращалась в десять часов вечера, то есть закон не был нарушен, и мы ничего не можем сделать. В Англии существует и охраняется свобода совести».

Преподобный Бак придерживается на этот счет иного мнения:

«Надо думать, что у этой ведьмы с Портобелло имеются связи в высших эшелонах власти, и только этим можно объяснить пассивность полиции, которая существует, между прочим, на деньги налогоплательщиков и призвана оберегать общественный порядок и приличия. Мы живем во времена вседозволенности, демократия разрушается и пожирается ею же порожденной неограниченной свободой».

Пастор заявляет, что с самого начала заподозрил неладное: эти люди сняли разваливающийся зерновой склад и работали целыми днями, пытаясь привести его в порядок, «что служит явным доказательством их принадлежности к секте и того, что все они регулярно подвергаются «промыванию мозгов», ибо на этом свете никто не будет работать бесплатно». Будучи спрошен, не занимаются ли его прихожане благотворительностью или безвозмездной помощью общине, преподобный Бак ответил, что «мы делаем это во имя Иисуса».

И когда вчера вечером Шерин Халиль с сыном и несколькими друзьями подошли к складу, дорогу им преградили прихожане с плакатами и мегафонами, громогласно призывающие жителей окрестных домов присоединиться к ним. Словесная перепалка быстро переросла в потасовку.

«Они уверяют, что борются во имя Христа, но на самом деле желают заставить нас по-прежнему не слышать слова Христа, сказавшего «все мы — боги», заявила известная актриса Андреа Мак-Кейн, одна из последовательниц Афины. Мисс Мак-Кейн, которой рассекли правую бровь, была оказана медицинская помощь, и актриса покинула место происшествия, прежде чем наш корреспондент успел выяснить что-либо еще.

Миссис Халиль, пытавшаяся успокоить своего восьмилетнего сына после того, как был восстановлен порядок, сообщила нам, что они собирались устроить коллективный танец, за которым должно было последовать обращение к некоей Айя-Софии. Церемония завершается чем-то вроде проповеди и общей молитвой в честь Великой Матери. Сотрудник полиции, проводивший дознание, подтвердил ее слова.

Насколько нам известно, эта община не имеет названия и не зарегистрирована в качестве благотворительной организации. Но, по мнению адвоката Шелдона Уильямса, это совершенно не обязательно: «Мы живем в свободной стране, где люди имеют право собираться в закрытых помещениях для проведения некоммерческих, то есть не направленных на извлечение прибыли мероприятий, не противоречащих гражданскому законодательству, то есть не связанных с призывами к расовой нетерпимости или употреблением наркотических средств».

Миссис Халиль категорически отвергла всякую возможность прекращения своих радений, заявив: «Мы образовали эту группу ради того, чтобы оказывать друг другу моральную поддержку, поскольку в одиночку выдерживать гнет общества становится все труднее. Я требую, чтобы ваша газета предала самой широкой огласке то религиозное давление, которому подвергаемся мы, а до этого на протяжении нескольких веков подвергались наши предшественники и единомышленники. Как только мы совершаем нечто такое, что идет вразрез с религиозными установлениями и не одобряется государством, нас пытаются уничтожить, и сегодняшнее происшествие — яркий тому пример. Раньше мы шли на плаху, на костер, в тюрьмы и ссылки. Теперь мы обрели условия для сопротивления и на силу будем отвечать силой, точно так же, как сочувствие всегда и неизбежно будет порождать сочувствие».

На обвинения преподобного Бака она ответила встречным обвинением в том, что «он манипулирует своими прихожанами, используя нетерпимость как предлог, а ложь — как оружие для насильственных действий».

По словам социолога Арто Ленокса, подобные события имеют тенденцию к повторению в ближайшие годы, причем не исключено их перерастание во все более серьезные конфликты с представителями «традиционных религий». «В наше время, когда марксистская утопия доказала свою полную неспособность служить проводником идей общества, мир вновь обращается к религии, что объясняется естественным страхом цивилизации перед круглыми цифрами. Я убежден, что, когда наступит 2000 год, а мир продолжит свое существование, здравый смысл возобладает и религии вновь займут подобающее им место, став прибежищем слабых и всегда нуждающихся в поводырях».

Это мнение оспаривает викарный епископ Эваристо Пьяцца: «То, что предстает нашим глазам, не есть духовное пробуждение, столь желанное всем нам, но волна того, что американцы именуют «Нью-Эйдж», своего рода питательная среда для вседозволенности, приводящей к попранию священных догм и к тому, что самые абсурдные идеи прошлого вновь овладевают умами. Не слишком щепетильные шарлатаны вроде этой ливанской леди внедряют свои ложные идеи в слабые, легко поддающиеся внушению головы, преследуя всего две цели — извлечение прибыли и личную власть».

Немецкий историк Франц Герберт, находящийся на стажировке в лондонском Институте Гете, рассуждает иначе: «Так называемые «классические» религии перестали отвечать на основополагающие вопросы, мучающие человека, — кто он такой и ради чего живет. Вместо этого все внимание они сосредоточивают лишь на отстаивании догм и канонов, приспособленных для социально-политических целей. И потому в поисках истинной духовности люди избирают иные цели, что, без сомнения, будет означать возврат к прошлому и к первобытным культам, прежде чем их коснется тлетворное воздействие властных структур».

В полицейском участке, где было зарегистрировано столкновение, сержант Уильям Мортон сообщил нам, что, если группа Шерин Халиль решит в ближайший понедельник провести свою церемонию и сочтет, что им угрожают, во избежание повторения недавнего инцидента она должна будет подать письменную просьбу о выделении им охраны.

(Джереми Латтон при участии Эндрю Фиша; фотографии Марка Гилхэма.)

MALLEVS

MALEFICARVM,

MALEFICAS ET EARVM

Хирон Райан,
журналист

Этот репортаж я прочитал в самолете, возвращаясь с Украины и пребывая в сомнениях. Мне так и не удалось выяснить, вправду ли масштабы чернобыльской трагедии были столь велики или ее раздували в своих интересах крупные производители нефти, стремясь затормозить развитие иных источников энергии.

Статья в газете меня, надо сказать, напугала. Фотографии запечатлели несколько разбитых витрин, перекошенное от ярости лицо преподобного Бака и — вот она, главная опасность! — огненноокую красавицу, обнимающую своего сына. Я сразу понял, чем все это может обернуться. Прямо из аэропорта отправился на Портобелло-роуд, убежденный, что предчувствия мои сбудутся.

С одной стороны, собрание, намеченное на ближайший понедельник, стало заметнейшим событием:

поглядеть на него сбежались люди со всего квартала, одни — чтобы поглазеть на упомянутое в газете загадочное существо, другие, вооружась плакатами, — чтобы защитить свободу совести и слова. Больше двухсот человек склад не вмещал, и толпа заполнила мостовую в надежде хоть одним глазком увидеть жрицу угнетенных.

Ее появление было встречено рукоплесканиями и одобрительными возгласами, кое-кто даже бросил ей цветы, а какая-то неопределенного возраста дама просила Афину неустанно бороться за свободу женщин, за право поклоняться Матери.

Прихожане, напуганные таким многолюдством, сочли за благо не появляться, хоть в предшествующие дни не скупились на угрозы. Нападений не последовало, и церемония прошла как обычно — танец, проявление Айя-Софии (к тому времени я знал, что это — всего лишь одна сторона самой Афины) и финальное восхваление (оно добавилось лишь недавно, после того, как группа стала собираться в пустующем складе, предоставленном одним из первых адептов). И всё на этом.

Я заметил, что во время проповеди Афина пребывала в трансе:

— У всех у нас есть долг перед любовью: позволить ей проявиться так, как ей будет лучше. Не можем и не должны пугаться, когда желают быть услышанными темные силы — те, которые ввели понятие «грех» для того лишь, чтобы управлять нашими умами и душами. Что такое грех? Иисус Христос, Которого все мы знаем, повернулся к прелюбодейке и сказал ей: «Никто не обвинил тебя? Значит, и я тебя не обвиню». Он исцелял по субботам, он позволил блуднице омыть себе ноги и обещал разбойнику, распятому с Ним рядом, что тот сегодня же будет с Ним в раю. Он вкушал запретную пищу и внушал нам заботиться лишь о сегодняшнем дне, ибо «лилии полевые ни трудятся, ни прядут; но и Соломон во всей славе своей не одевался так, как всякая из них».

Что такое грех? Грех — препятствовать проявлению Любви. Мать есть Любовь. Мы существуем в новом мире и можем сделать шаг, выбранный нами, а не навязанный обществом. Будет надо — мы снова, как на прошлой неделе, вступим в противоборство с силами тьмы. Но никто не сможет заткнуть нам рот, не заставит покривить душой».

И я своими глазами наблюдал за превращением женщины в икону. Она произносила эти слова убежденно, с достоинством и верой в то, что говорит. Ох, как бы я хотел, чтобы они соответствовали действительности, чтобы мы и в самом деле находились в преддверии нового мира, рождение которого мне так хотелось увидеть!

Уход ее был обставлен столь же торжественно, а заметив меня в толпе, она подозвала меня к себе, сказала, что скучала обо мне. Она была весела, уверена в себе и в правильности своих поступков.

Таково было положительное следствие газетной публикации, и дай Бог, чтобы тем все дело и кончилось. Мне бы очень хотелось ошибаться, но этого не произошло — ровно через три дня сбылось дурное предчувствие, и во всей силе своей проявилось следствие отрицательное.

Призвав на помощь некую адвокатскую контору, славившуюся своими твердолобо-консервативными взглядами и имевшую — в отличие от Афины — «выходы» на высшие эшелоны власти, преподобный Бак созвал пресс-конференцию и сообщил, что вчиняет иск за клевету, ложь и моральный ущерб.

Шеф, знавший о моей дружбе с фигурой, оказавшейся в центре скандала, вызвал меня и предложил взять у нее эксклюзивное интервью. Вначале я возмутился, потому что не хотел использовать дружеские отношения для увеличения тиража.

Но потом мы немного поговорили, и мне стало казаться, что идея неплоха. По крайней мере, Афина сможет изложить свою версию происходящего. Более того — сможет использовать это интервью для пропаганды своих взглядов. И вышел я из кабинета с совместно разработанным планом — подготовить серию репортажей о новых социальных тенденциях и о тех изменениях, которые претерпевают религиозные поиски. В одном из этих репортажей планировалось опубликовать и беседу с Афиной.

И в тот же день я отправился к ней, благо она сама и пригласила меня, выходя после ритуала. Однако не застал. От соседей я узнал, что накануне к ней наведывались судебные чиновники, чтобы вручить повестку в суд. И тоже безуспешно.

Я позвонил попозже — тщетно. Вечером повторил попытку — с тем же результатом. Потом начал набирать ее номер каждые полчаса, и тревога моя усиливалась с каждым новым звонком. С тех пор как Айя-София излечила меня от бессонницы, усталость укладывала меня в кровать не позже одиннадцати, но на этот раз беспокойство оказалось сильнее.

В справочнике я отыскал телефон ее матери. Но было уже поздно, и если Афины там не окажется, то стоит ли устраивать переполох?.. Включил телевизор узнать, что происходит. Не происходило решительно ничего. Лондон оставался прежним — со всеми своими чудесами и опасностями.

Я предпринял последнюю попытку, и вот после третьего гудка трубку сняли. Я тут же узнал голос Андреа.

— Что ты хочешь? — спросила она.

— Афина просила связаться с ней? У нее все в порядке?

— Естественно, у нее все в полном порядке. И в полном беспорядке. Это зависит от того, как посмотреть. Впрочем, ты можешь ей помочь.

— Где она?

Не ответив ни слова, она дала отбой.

Дейдра О'Нил,
она же Эдда

$\mathcal{A}$фина остановилась в отеле неподалеку от моего дома. До нас, жителей Эдинбурга, почти никогда не доходят из Лондона известия о событиях внутри страны. Нам не очень интересно, как англичане решают свои мелкие проблемы: у нас есть свой флаг, своя сборная по футболу, а вскоре будет и свой парламент. Достойно сожаления, что в наше время мы все еще используем общие для всего Соединенного Королевства телефонный код и почтовые марки, а еще более — что наша королева Мария Стюарт в борьбе за трон потерпела поражение.

Англичане отрубили ей голову, использовав как предлог религиозные распри. Ну разумеется, как же иначе? Так что проблема, с которой столкнулась моя ученица, давно уже не нова.

Я дала ей отдохнуть и выспаться. А наутро, вместо того чтобы войти в маленькое святилище и поработать, используя известные мне ритуалы, повела ее с сыном погулять в рощице на окраине Эдинбурга. Там, покуда Виорель бегал между деревьями, она и рассказала мне обо всем, что произошло накануне.

Потом заговорила я:

— Сейчас — день, небо в тучах, и люди думают — там, за тучами, живет всемогущий Бог, который определяет наши судьбы. А ты посмотри на своего сына, потом себе под ноги, прислушайся к тому, что звучит вокруг: здесь, внизу, — Мать: она — гораздо ближе, она приносит радость детям и наделяет энергией тех, кто ходит по Ее телу. Почему люди предпочитают верить во что-то далекое и забывают о том, что доступно глазу, об истинном проявлении чуда?

— Я знаю ответ: потому что там, наверху, сидит некто, скрытый за облаками, в неизреченной мудрости своей руководя и отдавая приказы. А внизу мы вступаем в физический контакт с магической реальностью и можем сами выбирать, где окажемся, ступив шаг.

— Прекрасные и верные слова. Но ты уверена, что человек хочет этого? Что ему нужна эта свобода — самому определять, куда направлять свои шаги?

— Думаю, нужна. Земля, по которой я ступаю, начертала мне странные пути, и они вели меня от городка в захолустье Трансильвании до ливанской столицы, а оттуда — в город на островах, а потом — в пустыню, и снова — в Румынию и так далее. От танцевальной группы — к бедуину. И всякий раз, когда ноги вели меня вперед, я говорила «да» вместо того, чтобы сказать «нет».

— И что ты выиграла этим?

— Я могу видеть ауры. Могу пробудить Мать в своей душе. Моя жизнь теперь обрела смысл, я знаю, за что борюсь. Но почему ты спрашиваешь? Ведь и ты получила важнейшее из дарований — искусство исцелять людей. Андреа умеет пророчествовать и разговаривать с духами, я шаг за шагом сопровождаю ее духовное развитие.

— И что еще у тебя есть теперь?

— Радость от того, что я живу. Знаю, что я — здесь, что все есть чудо и откровение.

Виорель упал и разбил коленку. Афина кинулась к нему, подняла, промокнула ссадину, подула на нее, приговаривая «ничего-ничего, сейчас пройдет». И мальчик вскоре уже снова прыгал и носился под деревьями. Я решила использовать это маленькое происшествие как знак.

— То, что случилось с твоим сыном, когда-то было и со мной. А сейчас происходит с тобой тоже. Разве не так?

— Так. Только я не считаю, будто споткнулась и упала. Больше похоже, что я еще раз прохожу какое-то испытание, которое научит меня следующему шагу.

В такие мгновенья наставник ничего не должен говорить — ему остается лишь благословить своего ученика. Ибо, как бы ни хотел он избавить его от страданий, пути ему предначертаны и ноги его исполнены охоты идти по ним. Я предложила вечером вернуться в рощу — вдвоем. Она спросила, с кем же оставить мальчика, но я уже подумала об этом. У меня есть соседка, многим мне обязанная, — она с большим удовольствием присмотрит за Виорелем.

***

В конце дня мы снова пришли на это место, а по дороге говорили о том, что не имело никакого отношения к предстоящему нам ритуалу. Афина видела, что я сделала эпиляцию, и спрашивала, в чем преимущества нового средства. Оживленно обсуждали моды, прически, распродажи, движение феминисток, поведение женщин. В какую-то минуту она произнесла что-то вроде «у души нет возраста, и я не понимаю, почему нас так заботит бег времени», но тотчас спохватилась и вновь заговорила о сущих пустяках.

И ей это было совсем нетрудно: подобные беседы играют важнейшую роль в жизни женщины (мужчины, кстати, делают то же самое, но по-иному и никогда в этом не признаются).

Но чем ближе оказывались мы к тому месту, которое я выбрала, — верней сказать, которое лес выбрал для нас, — тем явственнее делалось *присутствие* Матери. У меня оно проявлялось в какой-то непреложной, таинственной радости, всегда волновавшей меня чуть не до слез. Пришла пора остановиться и заняться делом.

— Собери немного валежника, — попросила я.

— Уже темно...

— Полная луна хоть и прячется в тучах, но света дает достаточно. Обучай глаза — они даны тебе, чтобы видеть дальше и больше, чем ты думаешь.

Она принялась собирать сухие ветки, то и дело чертыхаясь, когда укалывалась об острые шипы. Прошло полчаса, и мы не обменялись ни единым словом: я по-прежнему ощущала присутствие Матери и ликующее чувство от того, что нахожусь здесь с этой женщиной, кажущейся иногда совсем девочкой, которая доверяет мне и согласна сопровождать меня в этом поиске, непостижном порою человеческому разуму.

Афина была еще в состоянии отвечать на вопросы. Так было и со мной до тех пор, пока я полностью не перенеслась в царство тайны, где можно лишь созерцать, славословить, поклоняться, благодарить и давать возможность своему дару проявиться.

Глядя, как Афина собирает валежник, я видела ту девочку, какой и сама была когда-то, когда пустилась на поиски скрытого могущества, сокровенных тайн. Жизнь научила меня совсем иному — могущество не бывает скрыто, а тайное стало явным давным-давно. ...Увидев, что хворосту достаточно, я сделала ей знак остановиться.

Потом своими руками выбрала самые крупные ветки, положила их на кучу валежника. Как это похоже на жизнь — прежде чем разгорится огонь, хворост должен быть истреблен. Прежде чем высвободится энергия сильного, нужно, чтобы слабый получил возможность проявиться.

Прежде чем понять могущество, которое носим в себе, и уже открытые тайны, нужно сначала сделать так, чтобы все поверхностное — ожидания, страхи, видимости и мнимости — сгорело дотла. Лишь тогда наступит то умиротворение, которым был сейчас объят лес: ветер чуть шумел в кронах деревьев, сквозь пелену туч проникал свет луны, слышались шорохи — это вышли на ночную охоту звери, исполняющие цикл рождения и смерти Матери и никем никогда не порицаемые за то, что следуют своим инстинктам, своей природе.

Я разожгла костер.

Ни ей, ни мне не хотелось говорить. Мы просто неотрывно смотрели, как пляшет пламя, смотрели, казалось, целую вечность, и знали, что в этот миг сотни женщин в разных уголках мира стоят у своих очагов — и не важно, если это никакой не очаг, а наисовременнейшая система отопления. Это — символ.

Понадобилось усилие, чтобы выйти из транса, который пока еще не успел сказать мне ничего особенного, не позволил увидеть богов, ауры, призраков. Он просто осенил меня благодатью, в которой я так нуждалась. Я вновь сосредоточилась на происходящем в эту минуту, на юной женщине рядом, на ритуале, ожидавшем свершения.

— Как твоя ученица?

— Трудно с ней. Но если бы было легко, я не смогла бы научиться тому, что требуется мне.

— Какие же дарования она развивает?

— Разговаривает с существами из параллельного мира.

— Подобно тому, как ты разговариваешь с Айя-Софией?

— Нет. Ты же знаешь, что Айя-София — это Мать, обнаружившая во мне свое *присутствие*. А Андреа разговаривает с невидимыми существами.

Я уже поняла, но хотела все же удостовериться. Афина была сегодня молчаливей, чем обычно. Я поднялась, открыла сумку, достала оттуда пучок специально отобранных трав, бросила его в тлеющий костер.

— Дерево заговорило, — сказала Афина как о чем-то само собой разумеющемся: и это было хорошо — значит, чудеса стали неотъемлемой частью ее жизни.

— И что же оно говорит?

— Сейчас ни о чем... Просто шумит.

Спустя минуту она уловила песню, звучащую в костре.

— Какая прелесть!

Передо мной была девочка — не жена и не мать.

— Стой так! Не старайся сосредоточиться или следовать за мной или понять мои слова. Расслабься, почувствуй, что тебе хорошо. Иногда нам больше и нечего ждать от жизни.

Опустившись на колени, сунула в огонь ветку, очертила ею круг, оставив маленький зазор, чтобы Афина могла войти. Теперь я слышала ту же музыку, что и она, и танцевала вокруг нее, славя соитие мужского огня и земли, раскинувшейся, чтобы принять его, — соитие, которое очищало все и обращало в энергию, скрытую внутри этих веток, стволов, людей и незримых существ. Танцевала, пока слышна была песня огня, и движениями рук оберегала ту, которая с улыбкой стояла в центре круга.

Когда пламя угасло, я взяла немного пепла и посыпала им голову Афины, а затем затерла черту, замыкавшую кольцо.

— Спасибо, — сказала она. — Я почувствовала себя любимой, защищенной, дорогой для кого-то.

— Не забывай об этом, когда будет трудно.

— Трудно не будет — ведь я обрела свою стезю. Думаю, у меня есть предназначение. Это так?

— Так. Оно есть у каждого из нас.

Она вдруг утратила свою уверенность.

— Ты не ответила насчет того, будет ли трудно...

— Это — неразумный вопрос. Помни, как только что сказала: «Я — любима, защищена, дорога кому-то».

— Постараюсь помнить.

В глазах у нее стояли слезы. Афина поняла мой ответ.

Самира Р. Халиль,
домохозяйка

— *М*ой внук! Он-то здесь при чем?! Неужто вернулись времена средневековья и продолжается охота на ведьм?!

Я подбежала к нему. У мальчика был разбит нос, но моего отчаянья он вовсе не разделял и тотчас оттолкнул меня:

— Я дал им сдачи!

Я никогда не носила ребенка в своем чреве, но понимаю его душу: это одна из многих драк, которые предстоят ему в жизни, и потому его подбитые глаза не переставали светиться гордостью:

— Мальчишки в школе обозвали маму сатанисткой!

Следом появилась Шерин: она увидела окровавленного сына и хотела немедленно идти в школу, устроить директору скандал. Я обняла ее и удержала. Дала ей выплакаться, излить в слезах всю горечь обиды и разочарования. С этой минуты мне оставалось только молчать, не облекая свою любовь в никчемные и пустые слова.

Когда она немного успокоилась, я как можно осторожнее предложила ей перебраться к нам — мы с отцом об всем позаботимся: прочитав в газете о вчиненном ей иске, он уже успел переговорить с несколькими адвокатами. Мы из кожи вон вылезем, но разрешим ситуацию, не обращая внимания на реплики соседей, иронические взгляды знакомых и фальшивое сочувствие друзей.

Для меня ничего на свете нет важнее счастья моей дочери, хотя я никогда не могла понять, почему она всегда выбирает такие трудные пути, такие нехоженые тропы. Но матери и не надо понимать: ее дело — любить и оберегать.

И гордиться. Зная, что мы можем дать ей едва ли не все, она так рано ушла на поиски независимости. На этом пути она спотыкалась и падала, но считала делом чести в одиночку справляться со всем, что выпадало на ее долю. Сознавая, как это рискованно, она все же разыскала свою биологическую мать, и это лишь крепче привязало нас друг к другу. Я понимала, конечно, что все мои советы и увещевания — защитить диплом, выйти замуж, принимать как должное и не жалуясь все трудности совместной жизни, не пытаться выйти за рамки того, что разрешает общество, — она пропускает мимо ушей.

И что же в итоге?

Мысленно сопровождая дочь во всех перипетиях ее судьбы, я сама стала лучше. Разумеется, я не понимаю, кто такая эта Богиня-Мать, как не понимаю и безумного стремления Шерин всегда окружать себя какими-то странными людьми и не довольствоваться тем, что достигнуто тяжкими трудами.

Однако в глубине души я очень бы хотела быть такой, как она, хотя, пожалуй, мечтать об этом уже немного поздно.

...Я собиралась было встать и что-нибудь приготовить, но она не разрешила:

— Хочу посидеть вот так, прильнув к тебе. Больше мне ничего не нужно. Виорель, пойди в гостиную, включи телевизор — мне надо поговорить с бабушкой.

Мальчик повиновался.

— Я, наверно, причинила тебе много страданий...

— Вовсе нет. Скорей наоборот: ты и твой сын — источник радости, вы — смысл нашей жизни, свет очей...

— Но я все делала не так...

— И хорошо! Сейчас могу признаться: в иные минуты я тебя просто ненавидела. И горько раскаивалась, что не послушала доброго совета и не усыновила другого ребенка. И спрашивала себя: «Но как же мать может ненавидеть свое дитя?» Принимала транквилизаторы, ходила играть с подругами в бридж, остервенело занималась *шоппингом* — все ради того, чтобы как-то компенсировать любовь, которую я тебе давала и, как мне казалось, не получала от тебя.

А несколько месяцев назад, когда ты в очередной раз решила бросить работу и денежную, и престижную, я просто впала в отчаянье. Пошла в соседнюю церковь, хотела дать обет, помолиться Пречистой Деве, чтобы ты вернулась к действительности, изменила свою жизнь, использовала возможности, которые так бездумно расточаешь и проматываешь... Я готова была ради этого на все.

Я долго смотрела на образ Приснодевы с младенцем. И потом сказала так: «Ты ведь — тоже мать, знаешь, что происходит. Требуй от меня чего угодно, но только спаси мою дочь, потому что мне кажется — она неуклонно движется к гибели».

Руки Шерин, обнимавшие меня, напряглись. Она снова заплакала, но — по-другому, не так, как раньше. Я изо всех сил старалась овладеть собой.

— И знаешь ли, что я почувствовала в этот миг? Что Она отвечает мне. «Послушай-ка, Самира, — сказала Она, — мне тоже приходилось думать так. Долгие годы я страдала, потому что мой сын не слушал меня. Я беспокоилась за него, я считала, что он не умеет выбирать себе друзей, что не уважает законов, обычаев, веру, старших». Надо ли продолжать?

— Нет, я все поняла. Но все равно мне хочется послушать...

— А под конец Дева сказала: «Но мой сын так и не послушался меня. И сегодня я этому рада».

Бережно и осторожно, поддерживая ее голову, лежавшую у меня на плече, я высвободилась и поднялась.

— Вас надо покормить.

Пошла на кухню, приготовила луковый суп — из пакета, разумеется, — согрела хлеб, испеченный из бездрожжевой муки, накрыла на стол, и мы пообедали вместе. Говорили о пустяках, но в такие минуты милые незначащие слова объединяют семью и как-то по-особенному подчеркивают уют дома, за окнами которого буря выворачивает деревья и сеет разрушение. Конечно, под вечер моя дочь и мой внук уйдут, чтобы опять лицом к лицу встретить ветер, гром, молнии, — но таков был их выбор.

— Мама, ты сказала, что сделала бы для меня все что угодно, да?

Ну разумеется. Если нужно, я пожертвовала бы для нее жизнью.

— Ты не думаешь, что и я должна была бы сделать для Виореля все, что будет нужно?

— Я думаю, это инстинкт. Но не только — это еще и наивысшее выражение нашей любви.

Она продолжала есть. А я подумала-подумала, но все же не смогла сдержаться:

— Можно дать тебе совет? Будет суд, отец готов помочь тебе, если пожелаешь... Но ведь у тебя есть влиятельные друзья. Я имею в виду этого журналиста. Попроси его напечатать твою версию событий. Газеты много пишут о преподобном Баке, и в конце концов последнее слово останется за ним. Люди признают его правоту.

— Значит, ты не только принимаешь то, что я делаю, но и хочешь мне помочь?

— Да, Шерин. Даже если порой я не понимаю тебя, даже если страдаю, как, должно быть, страдала всю свою жизнь Пречистая Дева. Хоть ты и не Иисус Христос, но тоже несешь миру что-то очень важное, а потому я — на твоей стороне и хочу, чтобы ты одержала победу.

Хирон Райан,

журналист

*А*фина появилась в ту минуту, когда я лихорадочно правил то, что в идеале должно было стать репортажем о событиях на Портобелло-роуд и о возрождении Богини. Дело было тонкое — очень, я бы сказал, деликатное.

У бывшего зернового склада я увидел женщину, которая говорила: «Вы — можете! Лишь делайте то, чему учит Великая Мать, — верьте в любовь, и начнутся чудеса!» И толпа соглашалась с ней. Однако все это не могло продолжаться слишком долго, ибо нам выпало жить в такое время, когда рабство сделалось единственным способом обрести счастье. Свобода суждений требует немыслимой ответственности, заставляет работать и приносит с собой страдание, сомнение, тоску.

— Нужно, чтобы ты что-нибудь написал обо мне, — сказала она.

Я отвечал, что нам следует немножко подождать, потому что уже через неделю дело умрет само собой, но что на всякий случай я уже приготовил вопросы о сути Женской Энергии.

— Сейчас стычки и скандалы интересуют лишь жителей квартала и таблоиды: ни одна серьезная газета не напечатала об этом ни строчки. В Лондоне нечто подобное происходит на каждом углу, и привлекать к этому внимание крупных изданий было бы неразумно. Самое лучшее — недельки две-три вам не собираться.

Но я считаю, что дело с Богиней — если отнестись к Ней с должной серьезностью, которой Она вполне заслуживает, — способно побудить очень многих людей задать очень важные вопросы.

— Тогда, за ужином, ты сказал, что любишь меня. А сейчас, как я понимаю, не только отказываешься помочь, но и просишь меня отречься от того, во что я верю?

Как мне было толковать эти ее слова? Может быть, она наконец приняла то, что я предложил ей в тот вечер, то, что преследовало меня ежеминутно и неотступно? Ливанский поэт сказал, что давать важнее, чем получать. Что ж, это мудро, но я-то считал себя частью так называемого «человечества», и у меня есть слабости, и бывали минуты нерешительности, и меня охватывало желание стать рабом собственных чувств, предаться им, ни о чем не спрашивая, не желая даже знать, взаимна ли эта любовь. Пусть лишь позволят любить себя — ничего другого не требуется. Уверен, что Айя-София согласилась бы со мной целиком и полностью. Афина возникла в моей жизни уже года два назад, но я боялся, что она продолжит движение и скроется за горизонтом, не дав мне возможности пройти с нею вместе хотя бы часть пути.

— Ты говоришь о любви?

— Я прошу тебя о помощи.

Что делать? Обуздывать порывы, сохранять хладнокровие, не торопить события, чтобы в конце концов те просто перестали бы существовать? Или сделать давно назревший шаг — обнять ее, защитить от всех опасностей?

— Я хочу тебе помочь, — ответил я, хотя в голове моей настойчиво звучали слова: «Не заботься ни о чем, я думаю, что люблю тебя». — Прошу тебя, доверься мне, я сделаю ради тебя абсолютно все. Я даже скажу тебе «нет», когда сочту это нужным, рискуя при этом, что ты не поймешь.

И рассказал, что редактор предложил опубликовать серию материалов о пробуждении Богини и среди прочего — интервью с ней. Поначалу это казалось мне очень удачной идеей, но сейчас я понимаю, что лучше немного выждать.

— Ты либо хочешь выполнять свое предназначение и дальше, либо защищаться. Знаю, ты уверена, что твое дело — важнее того, как оно выглядит в глазах других. Ты согласна со мной?

— Я думаю о своем сыне. Каждый день у него неприятности в школе.

— Это пройдет. Через неделю никто больше не будет говорить об этом. И тогда придет наше время действовать — не для того, чтобы отбивать идиотские атаки, а чтобы мудро и уверенно придать твоим трудам новое измерение.

А если ты сомневаешься в моих чувствах, я пойду с тобой на следующее собрание. Посмотрим, что будет.

**

И в ближайший понедельник я сопровождал ее. Теперь я не был уже «персонажем из толпы», но видел все ее глазами.

У входа была толчея, звучали рукоплескания, летели под ноги цветы, девушки восклицали «жрица Богини!», две-три хорошо одетые дамы умоляли принять их наедине, ссылаясь на то, что их родные тяжело больны. Толпа напирала, не давала войти — нам и в голову раньше не приходило подумать о системе безопасности — и мне стало не по себе. Схватил Афину за руку, подхватил Виореля — и мы все же прорвались внутрь.

А там, в переполненном зале, нас встретила Андреа. Она была в ярости:

— Считаю, что ты должна сказать, что сегодня никакого чуда не будет! — крикнула она Афине. — Ты позволила тщеславию увлечь себя! Почему Айя-София не скажет всем этим людям, чтобы шли прочь?!

— Потому что она определяет болезни, — с вызовом отвечала Афина. — И чем больше людей она облагодетельствует, тем лучше.

Она хотела еще что-то сказать, но публика зааплодировала, и она поднялась на импровизированную сцену. Включила звук, попросила всех танцевать, не следуя ритму музыки, и ритуал начался. В какой-то момент Виорель ушел в угол и сел там — и Айя-София проявилась. Афина сделала то, что я уже видел не раз, — резко оборвала звук, обхватила голову руками, и люди молча подчинились безмолвному приказу.

Ритуал шел по неизменному распорядку — вопросы о любви оставались без ответов, но о болезнях, личных неурядицах, мучительном беспокойстве Афина говорила. Мне было видно, что у многих были слезы на глазах, многие смотрели на нее в священном трепете. Наступало время финальной проповеди, за которой следовала общая молитва во славу Матери.

Зная, что будет дальше, я стал прикидывать, как бы мне незаметно выбраться отсюда. Я надеялся, что Афина последует совету Андреа, скажет людям, чтобы не ждали чудес, и двинулся к Виорелю, чтобы выйти с ним вместе, как только его мать окончит говорить.

Но услышал голос Айя-Софии:

— Перед тем как завершить, поговорим о диете. Забудьте все эти россказни о режимах и рационах питания.

Что? Диета? Рацион питания?

— Человечество сумело выжить на протяжении многих тысячелетий, потому что было способно есть. Но в наши дни эта способность стала восприниматься как проклятье. Почему? Что побуждает сорокалетнего человека стремиться к тому, чтобы тело его оставалось таким, как в двадцать лет? Неужели возможно презреть фактор времени? Конечно, нет! И почему мы должны быть худыми?

По залу пролетел легкий ропот. Вероятно, люди ждали чего-то более духовного.

— Вовсе не должны! Мы покупаем руководства, посещаем фитнес-центры, готовы сосредоточить важнейшую часть наших усилий на попытки остановить время.

Тогда как должны радоваться тому, что просто ходим по земле. Вместо того чтобы думать, как жить лучше, мы одержимо боремся с лишним весом.

Забудьте об этом! Вы можете штудировать любые книги, выполнять любые упражнения, истязать себя диетами, но альтернатива проста: либо перестать жить, либо растолстеть.

Ешьте умеренно, но с удовольствием; зло не в том, что входит в уста, а в том, что из них выходит. Вспомните, что тысячелетиями боролись с голодом. Кому взбрело в голову, что все и на протяжении всей жизни должны оставаться худыми?!

И я скажу кому. Вампирам души, тем, кто так страшится будущего, что полагает, будто можно остановить бег времени. Айя-София заверяет: невозможно! Устремите усилия, используйте энергию, которую тратите на диету, чтобы питаться хлебом духовности. Осознайте, что Великая Мать дает щедро, но мудро, — отнеситесь к этому с уважением, и вы прибавите в весе не больше, чем этого требует время.

Вместо того чтобы искусственно сжигать калории, старайтесь преобразовать их в энергию, нужную для борьбы за воплощение вашей мечты. Помните, что одной лишь диетой никому еще не удавалось надолго согнать вес.

Воцарилась тишина. Афина подала знак, все стали славить присутствие Матери, а я подхватил на руки Виореля, обещая самому себе, что в следующий раз непременно приведу сюда нескольких друзей для минимальной охраны. Под крики и рукоплескания, по-прежнему звучавшие у входа, выбрался наружу.

Кто-то — наверно, это был владелец соседнего магазина — вцепился мне в руку:

— Если разобьют хоть одну витрину, я вас засужу!

Смеющаяся Афина раздавала автографы. У Виореля был довольный вид. Я молился, чтобы сегодня здесь не оказалось ни одного репортера. Продравшись наконец сквозь людскую толчею, мы сели в такси.

Я спросил, не хотелось бы моим спутникам чего-нибудь поесть. Разумеется, ведь я только что говорила об этом, отозвалась Афина.

Антуан Локадур,
историк

*В*о всей этой длинной веренице ошибок меня более всего удивляет наивность Хирона Райана, матерого журналиста с международным опытом. В разговоре он упомянул, что заголовки таблоидов буквально вгоняли его в столбняк.

«Диета от Богини!»

«Худейте за едой, призывает Ведьма с Портобелло».

Мало того что Афина затронула такую чувствительную сферу, как религия, она пошла еще дальше: заговорила о диете, предмете общенационального интереса, куда более важном, нежели войны, забастовки или природные катаклизмы. Не все верят в Бога, но все хотят похудеть.

Хозяева окрестных магазинов рассказывали репортерам, что видели, как горят черные и красные свечи, и что перед коллективными церемониями происходят ритуалы с участием всего нескольких человек. Покуда все это отдавало лишь дешевой сенсацией, однако Райан предвидел шумный судебный процесс, на котором сторона истца использует любую возможность, чтобы доказать не только факт клеветы, но и покушение на основополагающие ценности нашего общества.

Тогда же одна из самых влиятельных газет опубликовала статью евангелического пастора, преподобного Йена Бака, где, в частности, говорилось:

«Как истинный христианин, я, получив незаслуженное оскорбление, затрагивающее мою честь, обязан подставить другую щеку. Однако мы не имеем права забывать, что Иисус не только подставлял другую щеку, но и хлестал бичом тех, кто намеревался превратить Божий Дом в воровской притон. Нечто подобное предстает сейчас нашим глазам на Портобелло-роуд: кучка бессовестных шарлатанов, рядящихся в ризы спасителей душ человеческих, раздают несбыточные посулы, питают химерические надежды, обещая тем, кто станет их последователем, не только исцеление от любых недугов, но и избавление от лишнего веса.

И потому мне не остается ничего иного, как обратить к правосудию призыв разрешить эту нетерпимую ситуацию. Адепты новоявленной ереси уверяют, что способны пробудить в человеке не виданные прежде дарования, отрицают бытие Божье, тщась заменить Его языческими божествами — Венерой или Афродитой. Они уверяют, что дозволено все что угодно, при условии, что делается с «любовью». Но что такое любовь? Аморальная сила, оправдывающая любую цель? Или компромисс с истинными ценностями нашего общества, такими, как традиция и семья?

***

К следующему собранию, предвидя повторение августовской битвы, власти приняли меры безопасности и во избежание столкновений прислали к складу полдесятка стражей порядка. Афине, которую на этот раз окружало несколько телохранителей, пришлось услышать не только рукоплескания, но и проклятья. Какая-то женщина, увидев с нею мальчика лет восьми, через два дня, руководствуясь принятым в 1989 году законом о защите детей, потребовала лишить Афину родительских прав, поскольку та причиняет своему сыну «сильнейший моральный ущерб». Воспитание ребенка должно быть поручено отцу.

Одна бульварная газетка сумела разыскать Лукаса Йессена-Петерсена, однако тот не захотел давать интервью и требовал, чтобы репортеры не смели упоминать Виореля в своих статьях, — иначе он за себя не ручается.

На следующий день таблоид вышел с огромным заголовком на всю полосу: «Бывший супруг Ведьмы с Портобелло уверяет, что ради сына готов совершить убийство».

В тот же день в суд были поданы еще два ходатайства, основанных на пресловутом законе, но с той разницей, что ответственность за благополучие ребенка предполагалось возложить на государство.

Собрание не состоялось, хотя у дверей собрались сторонники и противники, а полисмены в форме не давали им сцепиться. Афина не появлялась. То же самое произошло и через неделю, только на этот раз и публики, и охраны было меньше.

На третью неделю остались только увядшие цветы у входа. Какой-то человек предлагал всем желающим фотографии Афины.

Газеты утратили интерес к этой теме. Когда же пастор Бак сообщил, что отзывает свой иск о защите от клеветы и диффамации, «ибо христианское чувство велит ему простить раскаивающихся в своих заблуждениях», ни одно из крупных ежедневных изданий не пожелало уделить этому заявлению место на своих страницах, так что пришлось опубликовать его в разделе «Письма читателей» в малотиражной газетке округа Кенсигтон.

Насколько я знаю, события так и не обрели общенационального резонанса и освещались лишь в ряду других лондонских новостей. Когда через месяц после этого я побывал в Брайтоне, никто из тамошних моих друзей даже не слышал про Афину.

Странно: у Райана были все возможности раскрутить это дело, и публикация в его газете задала бы тон всем остальным. Но, к моему крайнему удивлению, он не напечатал ни единой строчки, касающейся Шерин Халиль.

По моему мнению, произошедшее преступление никак не связано с предшествующим конфликтом на Портобелло. Скорей всего, это — зловещее совпадение.

Хирон Райан,

журналист

*А*фина попросила меня включить мой диктофон. С собой она принесла свой собственный — какой-то неизвестной мне модели, весьма, как теперь говорят, «накрученный» и совсем миниатюрный.

— Прежде всего хочу заявить, что мне грозит смерть. Во-вторых, обещай, что в случае моей гибели ты предашь эту запись гласности лишь через пять лет. В будущем станет ясней, что правда, а что — ложь.

Скажи, что согласен, ибо это будет значить, что мы заключаем формальный договор.

— Согласен. Но все же считаю, что...

— Нечего тут считать. Если меня найдут мертвой, эта запись будет моим завещанием. С условием — не обнародовать ее сейчас.

Я выключил запись.

— Тебе нечего бояться. У меня есть очень влиятельные друзья в так называемых властных структурах. Они мне многим обязаны. Я был и буду им нужен, так что мы можем...

— Разве я не говорила тебе о своем друге из Скотланд-Ярда?

Как — опять? Если он на самом деле существует, почему его не было в те дни, когда мы так нуждались в его помощи, когда Афину и Виореля могла растерзать толпа?!

Вопросы следовали один за другим — она хочет испытать меня? Что происходит в голове у этой женщины, которая то хочет быть со мной, то вспоминает несуществующего любовника?

— Включи, — попросила она.

Я чувствовал себя отвратительно — казалось, она всегда лишь пользовалась мной. Хотелось сказать ей: «Уходи прочь и никогда больше не появляйся в моей жизни... Она превратилась в пытку с того дня, как мы познакомились... Я жду, когда ты придешь, обнимешь меня, скажешь, что хочешь быть рядом со мной. Этого не произойдет никогда».

— Что-нибудь не так?

Она прекрасно знала, что именно не так. Не могла не понимать, что́ я чувствую, ибо за все это время я только и делал, что демонстрировал ей свои чувства, хоть и облек их в слова один-единственный раз. Но все равно — использовал любую возможность, чтобы увидеться с ней, оказывался у нее, стоило ей лишь попросить об этом, пытался добиться расположения ее сына, надеясь, что в один прекрасный день он назовет меня папой. Я никогда не уговаривал ее оставить то, чем она занимается, — я безропотно принимал ее образ жизни, подчинялся ее решениям, горевал, когда она страдала, и ликовал, когда одерживала победу. И гордился ее решимостью.

— Почему ты выключил диктофон?

В это мгновение я оказался разом и в райских кущах, и в преисподней, не зная, вспылить или подчиниться, довериться ли холодной логике или разрушительной буре чувств. Неимоверным напряжением всех душевных сил я все же сумел взять себя в руки.

Нажал кнопку.

— Продолжаем.

— Итак, я говорила, что мне грозит смерть. Мне звонят с угрозами, оскорбляют меня, твердят, что я представляю опасность для всего мира, что хочу установить на земле царство сатаны, а они этого не допустят...

— Ты обращалась в полицию?

Я намеренно не спросил про ее «друга» из Скотланд-Ярда, показывая тем самым, что ни на миг не поверил в его существование.

— Обращалась. Они отследили звонки: все были сделаны из автоматов. Сказали, чтоб не беспокоилась, они установили за домом наблюдение. Одного из звонивших удалось задержать — у него не все дома, считает себя воплощением одного из апостолов и намерен «бороться, чтобы Христа не изгнали снова». Сейчас он лежит в психиатрической больнице... В полиции сказали — уже не в первый раз, он звонил и другим с теми бредовыми речами.

— Наша полиция, если захочет, может быть на высоте. По-моему, тебе и в самом деле не о чем беспокоиться.

— Я не боюсь смерти. Если мне суждено умереть сегодня, я унесу с собой такие минуты, которые человеку в моем возрасте просто не дано испытать и пережить. Меня пугает другое, и потому-то я и попросила тебя записать наш разговор. Я боюсь стать убийцей.

— Что?

— Ты ведь знаешь: подано несколько исков о лишении меня родительских прав. У меня хотят отнять Виореля. Я просила помощи у друзей, но пока ничего нельзя сделать: надо ждать решения суда. Тут все зависит от судьи, но знающие люди не исключают того, что эти фанатики могут добиться своего. И потому я купила пистолет.

Я на своей шкуре испытала, что такое, когда ребенка лишают матери. Так что, как только сюда явится первый судебный исполнитель, я буду стрелять. Пока патроны не кончатся. А кончатся — возьму кухонный нож! Выбьют — буду защищаться зубами и ногтями! Но Виореля они заберут только через мой труп. Пишется?

— Да. Но ведь есть способы...

— Нет никаких способов. Мой отец присутствует на процессе. Он говорит, что в соответствии с семейным правом решение может быть неблагоприятным... Мало что можно сделать... Выключи запись.

— Это — твое завещание?

Она не ответила. Я ничего не предпринимал, и она взяла инициативу на себя. Подошла к проигрывателю, поставила диск с той самой «музыкой степей», которую я уже успел выучить почти наизусть. Потом начала танцевать — так же, как на ритуалах, упорно противореча ритму и такту, и я знал, зачем она это делает. Ее диктофон продолжал записывать, превратившись в безмолвного свидетеля всего происходящего здесь. Тускнеющий предвечерний свет проникал сквозь неплотно задернутые шторы, но Афина погружалась в поиски иного света, который был здесь со дня сотворения мира.

Но вот искорка Великой Матери прервала танец, остановила музыку, обхватила голову руками и замерла. Потом вскинула на меня глаза.

— Ты знаешь, кто перед тобой? Или нет?

— Знаю. Афина и ее божественная часть — Айя-София.

— Я привыкла делать это. Не думаю, чтобы это было так уж необходимо, но я открыла способ встречать ее, а потом это сделалось в моей жизни традицией. Ты знаешь, с кем разговариваешь сейчас — с Афиной. А я — Айя-София.

— Знаю, — повторил я. — Когда я танцевал во второй раз у тебя дома, я открыл имя духа, ведущего меня: Филемон. Но я не слишком часто беседую с ним и слушаю, что он говорит мне. Но знаю, что, когда он обнаруживает свое присутствие, мне кажется, будто наши души наконец-то встретились.

— Вот именно. И Филемон с Айя-Софией сегодня будут говорить о любви.

— Тогда и я должен танцевать...

— Не нужно. Филемон и так поймет меня, ибо я вижу, что он затронут моим танцем. Человек, стоящий передо мной, страдает из-за того, что считает недостижимым, — из-за моей любви.

Но человек, который пребывает за пределами тебя, сознает: страдание, томления, ощущение оставленности — все это никому не нужные ребячества. Я люблю тебя. Но не так, как хочет этого твоя человеческая ипостась, а так, как пожелала божественная искра. Мы живем с тобой в одном шатре, поставленном на нашем пути Ею. И там поймем, что мы не рабы наших чувств, но их владыки.

Мы служим и принимаем служение, мы открываем двери наших домов и заключаем друг друга в объятия. Быть может, мы целуемся — ибо все, что насыщенно и полно проживается на земле, обретает свое соответствие в незримом. И ты знаешь, что, говоря это, я не провоцирую тебя и не играю твоими чувствами.

— Тогда что же такое любовь?

— Душа, кровь, плоть Великой Матери. Я люблю тебя с той же силой, с какой любят друг друга изгнанные души, встретившись в пустыне. Между нами никогда не будет никакого физического контакта, но страсть не бывает бесполезной и любовь не будет отринута. Если Мать пробудила ее в твоем сердце — значит, пробудит и в моем. Невозможно, чтобы энергия любви пропала втуне, — она могущественнее всего на свете и проявляется во многом и по-разному.

— Мне не хватает для этого силы. Эти абстракции угнетают меня и только усугубляют мое одиночество.

— И мне тоже. Мне нужно, чтобы кто-нибудь был рядом. Но однажды наши глаза откроются, и разные ипостаси Любви смогут проявиться, и страдание исчезнет с лица земли.

Думаю, это уже не за горами. Многие из нас возвращаются из долгих странствий, где нас принуждали искать то, что нам не интересно. Теперь мы осознаем — «то» было ложным. Но и возвращение наше не может быть безболезненным, ибо слишком долго нас не было здесь и поневоле сочтешь себя в родном краю чужестранцем.

Не сразу придет время, когда мы найдем друзей, которые тоже ушли когда-то, и место, где были наши корни, где спрятаны наши клады. Но придет оно непременно.

Не знаю почему, но я почувствовал волнение. И оно придало мне решимости.

— Хочу говорить о любви.

— Мы и говорим о любви. Это всегда было целью всех моих поисков в жизни — добиться, чтобы любовь проявлялась во мне беспрепятственно, чтобы заполняла мои пробелы, чтобы заставляла меня танцевать, улыбаться, сознавать смысл жизни, оберегать моего сына, входить в контакт с небесами, с мужчинами и женщинами, со всеми, кто встречается мне на пути.

Прежде я пыталась обуздывать свои чувства, говоря: «Этот заслуживает моей нежности, а этот — нет»... Что-то в таком роде. Так шло до тех пор, пока я не поняла свой удел, увидев, что могу потерять самое дорогое.

— Сына.

— Ты прав. Самое полное и совершенное выражение любви. Это произошло в ту минуту, когда возникла возможность отдалить его от себя, когда я обрела самое себя, осознав, что никогда не смогу ничего приобрести, ничего утратить. Поняла я это, проплакав несколько часов кряду. И после всех этих мук та часть меня, которая зовется Айя-София, сказала мне: «Что за глупости ты выдумываешь? Любовь пребудет вечно! А сын твой рано или поздно уйдет от тебя!»

Я начал понимать смысл ее слов.

— Любовь — это не привычка, не компромисс, не сомнение. Это не то, чему учит нас романтическая музыка. Любовь — есть. Вот свидетельство Афины, или Айя-Софии, или Шерин: *любовь есть*. Без уточнений и определений. Люби — и не спрашивай. Просто люби.

— Это трудно.

— Ты ведешь запись?

— Ты же попросила выключить.

— Включи снова.

Я повиновался.

— И мне трудно, — продолжала Афина. — И потому я ухожу и больше не вернусь сюда. Буду прятаться, скрываться... Полиция сможет уберечь меня от маньяков, но не от людского правосудия. У меня было мое предназначение, и, исполняя его, я зашла так далеко, что рискнула даже собственным сыном. Но не раскаиваюсь: я исполнила сужденное мне.

— В чем же оно, твое предназначение?

— Ты сам знаешь, ты был рядом с самого начала... Торить путь для Матери. Продолжать Традицию, погребенную под толщей прошедших веков, но теперь начинающую возрождаться.

— Быть может... — начал я и осекся. Но Афина выжидательно молчала, пока я не продолжил: — Быть может, ты начала слишком рано. Люди были к этому не готовы.

Она рассмеялась в ответ:

— Да нет, конечно, были готовы. Оттого-то все эти столкновения, мракобесие, агрессивная злоба. Силы зла — в предсмертной агонии, и сейчас они напрягают последние силы. Да, сейчас они кажутся особенно могучими, но это уже конвульсии, еще немного — и они не смогут оторваться от земли.

Я бросала семена во многие сердца, и каждое из них выразит это Возрождение по-своему. Но одно из них принадлежит той, кто воплотит Традицию полностью. Это — Андреа.

Андреа.

Которая так ненавидела ее и на излете нашего с ней романа винила во всех смертных грехах. Которая твердила всякому, кто хотел слушать, что Афину обуяли себялюбие и тщеславие и в конце концов она погубит дело, налаженное с такими трудами.

Она поднялась, взяла свою сумку.

— Я вижу ее ауру. Она исцеляется от ненужного страдания.

— Ты, разумеется, знаешь, что не нравишься Андреа.

— Знаю, конечно. Мы почти полчаса говорим о любви, правда ведь? «Нравится» не имеет к этому никакого отношения.

Андреа — это человек, который абсолютно приспособлен для того, чтобы и впредь исполнять это предназначение. У нее больше опыта, чем у меня, ее харизма сильней моей. Она училась на моих ошибках и сознает, что должна вести себя осторожней, ибо агонизирующий зверь мракобесия особенно опасен и наступают времена открытого противостояния. Андреа может ненавидеть меня, и, быть может, ей удалось так стремительно развить свои дарования именно потому, что она хотела доказать, что одарена щедрей, чем я.

Когда ненависть заставляет человека расти, она превращается в одну из многих ипостасей любви.

Афина взяла свой диктофон, спрятала его в сумку и ушла.

В конце недели был оглашен приговор: заслушав показания свидетелей, суд оставил за Шерин Халиль, известной как Афина, право воспитывать своего сына.

Кроме того, директор школы, где учился Виорель, был официально предупрежден, что случаи какой бы то ни было дискриминации по отношению к мальчику будут преследоваться по закону.

Я ждал звонка от Афины, чтобы вместе с нею отпраздновать победу. С каждым прожитым днем моя любовь к ней все меньше терзала меня, из источника страданий превращаясь в тихую заводь безмятежной радости. Я уже не чувствовал такого лютого одиночества, ибо знал, что где-то в пространстве наши души — души всех, кто был изгнан и теперь возвращался, — снова с ликованием празднуют свою новую встречу.

Прошла неделя. Я думал — она пытается прийти в себя после безмерного напряжения последних дней. Прошел месяц. Я предполагал — она вернулась в Дубай и занялась своим прежним делом, но когда позвонил туда, мне ответили, что давно уже ничего не слышали о ней, и попросили, если встречу ее, передать, что двери для нее всегда открыты и в компании ее очень не хватает.

Тогда я решил напечатать серию статей о пробуждении Матери, которые имели шумный успех, хоть и вызвали негодование нескольких читателей, обвинивших меня в «распространении язычества».

Еще два месяца спустя, когда я собирался идти обедать, мне позвонил мой коллега: обнаружено тело Шерин Халиль, Ведьмы с Портобелло.

Она была зверски убита в Хемпстеде.

***

Теперь, когда все записи расшифрованы, я передам их ей. Должно быть, сейчас она прогуливается в Национальном парке Сноудониа, что привыкла делать ежедневно. Сегодня день ее рождения — верней сказать, ее приемные родители, удочерив ее, выбрали эту дату, чтобы отметить ее появление на свет, — и я хочу вручить ей эту рукопись.

Виорель, приехавший с бабушкой и дедушкой на торжество, тоже приготовил ей сюрприз: он записал на студии свой первый диск и за ужином даст послушать сочиненную им музыку.

Она спросит меня потом: «Зачем ты это сделал?»

А я отвечу: «Затем, что хотел понять тебя». За все те годы, что мы были вместе, все, что я слышал о ней, казалось мне легендами. А вот теперь я знаю — это была сущая правда.

Каждый раз, когда я хотел сопровождать ее — будь то на ритуалы, устраивавшиеся по понедельникам у нее дома, будь то в Румынию, будь то на дружеские вечеринки, — она неизменно просила меня не делать этого. Она хотела быть свободной, а присутствие полицейского непременно смутит собравшихся. При нем и ни в чем не виноватые почувствуют себя виновными.

Тайком от нее я дважды побывал на складе в Портобелло. Она так и не узнала, что мои люди обеспе-

чивали ее безопасность на входе и выходе и однажды задержали человека с кинжалом — позднее выяснилось, что это член одной воинствующей секты. На допросе он показал, что духи велели ему достать толику ее крови и освятить ею свои жертвоприношения. Убивать Ведьму с Портобелло он не собирался — надо было лишь смочить платок ее кровью. Следствие установило, что он и в самом деле не имел намерения покушаться на ее жизнь, но был осужден и получил полгода тюрьмы.

Мысль инсценировать ее убийство принадлежит не мне — Афина сама захотела исчезнуть и спросила меня, возможно ли это. Я объяснил, что, если бы суд приговорил ее к лишению родительских прав, я бы не стал нарушать закон. Но поскольку решение было вынесено в ее пользу, мы вольны осуществить наш замысел.

Афина вполне отчетливо сознавала: как только о церемониях на складе станет широко известно, свое предназначение она выполнить не сможет. Можно сколько угодно твердить людям, что она — не царица, не ведьма, не земное воплощение Божества, все будет впустую, ибо люди хотят следовать за власть имущими, а властью этой наделяют по своему желанию. И все это пойдет вразрез с идеями, которые она исповедует, — со свободой выбора, с освящением собственного хлеба, с пробуждением и выявлением в каждом человеке его дарований. Тут ни пастыри, ни вожатые не нужны.

И просто исчезнуть, скрыться она не могла — люди подумали бы, что она удалилась в пустыню, или вознеслась на небеса, или отправилась на встречу с тайными учителями, живущими где-то в Гималаях. И до скончания века ждали бы ее возвращения. Множились бы легенды вокруг ее имени, и, возможно, возник бы ее культ. Мы начали замечать это вскоре после того, как она перестала бывать на Портобелло: мои информаторы сообщали, что вопреки нашим ожиданиям поклонение ей стало принимать пугающие масштабы: возникали новые общины, люди провозглашали себя «хранителями наследия Айя-Софии», ее напечатанный в газете фотоснимок с ребенком на руках продавался из-под полы. Ее пытались представить жертвой нетерпимости, ее причисляли к лику мучеников. Разнообразные оккультисты уже заговорили о создании «Ордена Афины» и брались — за определенную плату, разумеется, — установить контакт с основательницей.

И значит, оставалась только «смерть». Но смерть, произошедшая вследствие совершенно естественных обстоятельств, ибо что может быть естественней для жителя огромного города, чем окончить свои дни от ножа серийного убийцы. Нам следовало принять меры к тому, чтобы:

1) преступление нельзя было признать убийством по религиозным мотивам, ибо в этом случае ситуация, которой мы хотим избежать, только осложнилась бы;

2) жертву было невозможно идентифицировать со стопроцентной точностью;

3) убийца не был бы задержан;

4) на месте преступления был найден труп.

В таком мегаполисе, как Лондон, ежедневно обнаруживаются расчлененные, сожженные тела, однако обычно преступника рано или поздно задерживают. Стало быть, нам пришлось ждать почти два месяца происшествия в Хемпстеде. И в этом случае убийца был найден, но найден мертвым — он уехал в Португалию и там покончил с собой выстрелом в рот. Теперь мне требовалась лишь помощь самых близких друзей. Как известно, рука руку моет — и они порою просили меня о том, что не вполне согласовывалось с буквой закона, притом что закон не нарушался, а лишь слегка, так сказать, интерпретировался в нужном для нас смысле.

Когда был найден труп, мне вместе с моим давним товарищем поручили расследование. Почти одновременно мы получили сообщение, что португальская полиция обнаружила в Гимараэнсе тело самоубийцы, оставившего предсмертную записку, в которой он подробно рассказывал о всех деталях совершенного им преступления и завещал все свое имущество благотворительным организациям. Это было убийство в состоянии аффекта — несчастная любовь довольно часто приводит к такому финалу.

В записке указывалось, что будущий убийца вывез свою жертву из одной из республик бывшего Советского Союза и делал все возможное, чтобы помочь этой женщине. Он уже собирался жениться на ней, что дало бы ей право получить британское подданство, но внезапно обнаружил ее письмо, адресованное одному немцу, пригласившему ее провести несколько дней у него в замке.

Она писала, что безумно желает приехать к нему, и просила немедленно выслать ей билет на самолет, с тем чтобы желанная встреча произошла как можно скорее. Немец познакомился с этой женщиной в одном из лондонских кафе, и, кроме обмена письмами, между ними не было никаких контактов.

Все это идеально отвечало моим планам.

Мой напарник и друг сначала колебался— ни один полицейский не желает числить за собой нераскрытое убийство, — но когда я сказал, что беру ответственность и вину на себя, в конце концов согласился.

Я отправился туда, где скрывалась Афина, — в симпатичный домик на Оксфорд-стрит. Набрал в шприц немного ее крови. Срезал кончики ее волос, поджег их — но так, чтобы они не сгорели полностью. Оставил эти «улики» на месте преступления. Поскольку анализ ДНК был невозможен — никто не знал, кто является биологическими родителями Афины и где они находятся, — мне оставалось, так сказать, лишь скрестить пальцы и уповать, что происшествие получит в прессе не слишком шумную огласку.

Появились репортеры. Я рассказал им, что убийца покончил с собой, назвав лишь страну, где это произошло, но не город. Сообщил, что мотивов для преступления не было, но следует категорически отбросить версию убийства из мести или по религиозным мотивам, а по моему мнению (в конце концов, и полицейский может ошибаться), жертва подверглась сексуальному насилию. Боясь разоблачения, злоумышленник убил ее и обезобразил.

Если бы немец прислал новое письмо, оно вернулось бы к нему с пометкой «адресат отсутствует». Фотография Афины была напечатана в газетах только однажды, после первого радения на Портобелло, так что шансы на то, что он узнает ее, были ничтожны. Кроме меня, в это дело были посвящены еще трое — ее родители и сын. Все мы присутствовали на ее похоронах, а могила украшена надгробной плитой, на которой значится ее имя.

Мальчик бывает у матери еженедельно. Кстати, он блестяще учится.

Разумеется, настанет день, когда Афине надоест уединение и она захочет вернуться в Лондон. Это не страшно — кроме самых близких друзей, никто не вспомнит о ней: у людей короткая память. К этому времени катализатором будет Андреа, тем более что справедливости ради надо признать — она гораздо лучше Афины приспособлена для выполнения этой миссии. Помимо того, что наделена нужными дарованиями, она еще и актриса, то есть знает, как обращаться с публикой.

Слышал я, что она сумела, не привлекая к себе ненужного внимания, значительно расширить масштаб своей деятельности. Рассказывают, что с нею контактируют люди, занимающие ключевые позиции в обществе, и в нужный момент, когда накопится необходимая критическая масса, они покончат с лицемерием преподобных Баков всех мастей.

Именно об этом мечтала Афина — вовсе не о личном успехе (вопреки мнению многих, включая и Андреа), но об исполнении своего предназначения.

Затевая свое исследование, результаты которого изложены в этой рукописи, я полагал, что лишь изучаю жизнь Афины, чтобы понять меру, а верней — безмерность ее отваги. Но в процессе сбора материалов выявлялась и моя скрытая роль. И тогда я пришел к выводу, что главным побудительным мотивом для этой тяжелейшей работы было стремление ответить на вопрос, не дававший мне покоя: почему Афина любила меня, если мы с ней — такие разные и так по-разному смотрим на мир?

Помню, как впервые поцеловал ее — это было в баре неподалеку от вокзала Виктория. Она в ту пору работала в банке, я уже был детективом Скотланд-Ярда. После нескольких свиданий она пригласила меня потанцевать в доме человека, у которого снимала квартиру. Я отказался — это был не мой стиль.

Вместо того чтобы обидеться или рассердиться, она сказала, что уважает меня за это решение. Перечитывая сейчас показания ее друзей, я испытываю подлинную гордость, ибо ничьих больше решений Афина не уважала.

Спустя несколько месяцев, перед ее отъездом в Дубай, я признался ей в любви. Она сказала, что отвечает мне взаимностью, но что нам с нею придется научиться подолгу жить в разлуке. Я буду здесь, она — там, но для настоящей любви расстояния не страшны.

Тогда-то, в первый и единственный раз, я спросил: «Почему ты меня любишь?»

«Не знаю и знать не хочу», — ответила она.

Сейчас, дописывая эти страницы, я думаю, что нашел ответ в ее разговоре с этим журналистом.

Любовь — есть.

25.02.2006 г. 19:47:00
Закончил просматривать
в День святого Эспедито, 2006 г.

Другие книги Пауло Коэльо

Алхимик

Вероника решает умереть

Пятая гора

Одиннадцать минут

Дьявол и сеньорита Прим

На берегу Рио-Пьедра села я и заплакала

Книга воина света

Заир

Дневник Мага

Литературно-художественное издание

Пауло Коэльо

Ведьма с Портобелло

Перевод: *А. Богдановский*

Редактор *И. Старых*
Корректоры
Е. Введенская, Т. Зенова,
Е. Ладикова-Роева, О. Сивовок
Оригинал-макет: *Е. Мукомол*
Обложка: *В. Миколайчук*
Художник: *В. Ерко*

ООО Издательство «София»
107140, Россия, Москва, ул. Красносельская Нижняя, д. 5, стр. 1

Для дополнительной информации:
Издательство «София»
04073, Украина, Киев-73, ул. Фрунзе, 160

Подписано в печать 02.02.2007.
Формат 76×100/32. Усл. печ. л. 14,07.
Доп. тираж 250 000 экз. Заказ № 3951.

Отделы оптовой реализации издательства «София»
в Киеве: (044) 492-05-10, 492-05-15
в Москве: (495) 105-34-28
в Санкт-Петербурге: (812) 235-51-14

Книга — почтой
в России: тел.: (495) 476-32-58
e-mail: kniga@sophia.ru
в Украине: тел.: (044) 513-51-92; 01030, Киев, а/я 41
e-mail: postbook@sophia.kiev.ua
http://www.sophia.kiev.ua, http://www.sophia.ru

Отпечатано по технологии CtP
в ОАО «Печатный двор» им. А. М. Горького
197110, Санкт-Петербург, Чкаловский пр., 15